KB075976

한중일영

일본어 초등
상용한자 1026

일본 신자체, 한국 번체자,
중국 간체자, 한어병음, 영어 비교

1026 Japanese Kanji
with Chinese Hanzi and Korean Hanja
: Shinjitai, Simplified & Traditional Chinese
Characters Comparison

꿈그린 어학연구소

발 행 2024년 3월 9일

저 자 꿈그린 어학연구소

펴낸곳 꿈그린

E-mail kumgrin@gmail.com

ISBN 979 - 11 - 93488-03-4 (03730)

ⓒ 꿈그린 어학연구소 2024

본 책은 저작자의 지적 재산으로서 무단 전재와 복제를 금합니다.

한중일영

일본어 초등
상용한자 1026

일본 신자체, 한국 번체자,
중국 간체자, 한어병음, 영어 비교

1026 Japanese Kanji
with Chinese Hanzi and Korean Hanja
: Shinjitai, Simplified & Traditional Chinese
Characters Comparison

머리말

이 책은 일본 소학교에서 배우는 1,026개의 상용 한자의 음, 훈, 예시를 소개함과 동시에 이에 해당하는 간체자, 한어병음, 번체자(정체자), 영어의 뜻을 대조해 놓은 책입니다. 따라서 이 책은 일본어를 배우기 위해 일본 신자체를 체계적으로 공부하고자 하면서도 정자 한자, 중국어 및 영어에 이미 지식이 있거나 흥미가 있는 독자들을 위한 책입니다.

이 책에서 다루는 한자는 신자체(新字体)로 알려진 일본 초등학교에서 가르치는 1,026자 입니다. 한국과 대만에서 사용하는 정자 한자와 약간의 차이가 있을 수 있지만 대부분은 유사합니다. 중국어 간체자는 가장 단순화된 한자이나 기초 한자들인 만큼 신자체와 비교하기 어렵지 않습니다. 이 책에서는 일본어 학습자를 위해 소학교에서 배우는 상용한자 1,026자를 기준으로, 각 한자가 정체자 및 간체자와 차이가 있을 경우에만 별도로 소개합니다.

한자의 영향을 받은 우리 한국어는 물론 일본어를 공부한 적이 있는 독자라면 중국, 일본, 한국 3개국에서 한자를 기반으로 한 많은 어휘가 상당한 유사성을 보인다는 것을 느끼실 겁니다. 이러한 면에서, 유럽 언어의 라틴어와 마찬가지로 한자를 공부하는 것은 우리 한국말을 잘 이해하는 것에 그치지 않고 일본어나 기타 한자권의 아시아언어를 배울 때 매우 편리합니다. 따라서 각 아시아 국가의 한자를 비교하는 것은 어휘력 확장을 쉽게 함과 동시에 한자문화권의 외국어 능력을 기르는데 큰 도움이 될 수 있습니다.

따라서 여러 나라에서 사용되고 있는 한자를 다개국어로 비교하기 위해서는 기초부터 심화까지 아우르는 검증된 한자의 모음이 필요하였기에, 이를 위해 일본 상용한자가 선택되었습니다. 즉 일본 상용한자 1,026자는 다중언어 비교를 위해 선정된 하나의 기준으로, 이 책을 통해 일본어를 최우선으로 공부함과 동시에 중국어의 간체자, 한국의 번체자 및 영어로 일본 신자체 단어들이 어떻게 번역되고 활용되는지 알고 싶은 분들에게 이 책을 추천합니다.

특히 영어가 모국어인 사람들도 이 책을 통해 한자의 매력을 느끼기 바라는 마음에, 영어 뜻뿐만 아니라 일본어와 한국어의 음, 훈의 영어 발음 또한 영어 알파벳으로 첨가하였습니다. 따라서 이 책은 한국 등 아시아의 한자 문화권에 거주하며 한자를 체계적으로 공부하고자 하는 영어 화자에게도 추천드릴 수 있습니다.

이 한자책은 일본어 능력 시험을 준비할 뿐만 아니라 영어, 중국어, 한국어로 어휘력을 동시에 확장할 수 있는 훌륭한 출발점이 됩니다. 일본 초등학교에서 배우는 필수 한자를 소개함과 동시에 해당 한자를 활용한 단어를 4개 언어로 제공하기 때문에 언어 간 의미를 비교하면서 한자에 대한 지식을 습득할 수 있습니다. 일본 한자와 한국 한자, 중국 한자의 음, 훈을 영어와 함께 비교할 수 있다는 점에서 아시아권 한자 공부의 종합 사전이라고 할 수 있습니다.

이 책을 통해 일본어 공부는 물론 이미 알고 계시는 언어와의 연결 고리를 찾아보는 즐거운 경험이 되기를 바랍니다.

2024년 2월
꿈그린 어학연구소

차 례

이 책의 활용법

　이 책은 일본 소학교에서 배우는 상용한자 1,026 자를 소개하고 있습니다. 일본어를 배우려면 이 모든 한자의 음, 훈을 외우는 것이 중요합니다. 이 책을 통해 1 학년부터 6 학년까지 일본 초등학생 수준에서 배우는 한자를 학년별로 배울 수 있습니다. 따라서 소학교 수준이 아닌 음, 훈의 경우 일부 생략한 것도 있습니다.

　또한 일본어, 중국어, 영어를 동시에 공부하는 데 관심이 있는 독자를 위해 이 책에는 영어 뜻, 한국어 음, 훈 및 중국어 병음이 모두 포함되어 있으며, 예시를 통해 실제로 각 4 개국에서 이 한자를 활용한 단어가 어떻게 번역되고 사용되는지 알 수 있게 하였습니다.

　번체자와 간체자의 경우, 신자체와 차이점이 있는 경우에만 해당 한자 아래에 일본 한자와의 차이점을 표시했습니다. 따라서 일본 신자체만 소개된 한자는 중국 번체자, 한국 정자, 일본 신자체 모두 같은 모양임을 의미합니다.

　다음의 한자 円을 활용하여 이 책을 통해 공부하는 방법을 소개합니다.

한자	영어 뜻/ 병음/획	일본어 음독	일본어 훈독	한국어 훈(음)
①円	④circle	⑦エン	⑨ まる(い)	⑪둥글(⑫원)
②圓	⑤yuán	⑧en	⑩ marui	⑬dunggeul (won)
③圓	⑥ 4 画	⑭ 円形(えんけい) 원형 圓形[yuánxíng] circle 円（えん）엔 yen		

7

① 일본 신자체

② 중국 간체자(신자체와 다른 경우만)

③ 한국 번체자(신자체와 다른 경우만)

④ 영어 뜻

⑤ 중국어 병음

⑥ 한자 획수

⑦ 신자체 음독(가타카나)

⑧ ⑦의 영어 발음*

⑨ 신자체 훈독(히라가나)

⑩ ⑨의 영어 발음*

⑪ 한국어 훈독

⑫ 한국어 음독

⑬ ⑪과 ⑫의 영어 발음*

⑭ 예시: 이 책은 기본적으로 일본어 상용 한자 학습을 위한 책으로, 번체자와 간체자는 비교를 위한 용도입니다. 따라서 ⑭ 의 예시들은 일본어 용법이 중심으로, 중국어 한자 단어가 일본 단어와 일치하는 경우만 한글 뜻 옆에 간체자와 병음을 넣었습니다. 또한 간체자와 신자체가 정확히 같은 한자로 쓰이는 경우에는 병음만 표시하였습니다.

*⑧, ⑩, ⑬의 영어 발음은 일본어와 한국어 읽기가 익숙치 않은 영어 화자를 위해 추가하였습니다.

一	one	イチ/イツ	ひと/ひと(つ)	한 (일)
	yī	ichi / itsu	hito / hitotsu	han (il)

1 画
一月 (いちがつ) 일월 [yīyuè] January
統一 (とういつ) 통일 统一[tǒngyī] unification, unity
一つ (ひとつ) 하나, 한 개 one

二	two	ニ	ふた/ふた(つ)	두 (이)
	èr	ni	futa / futatsu	du (i)

2 画
二月 (にがつ) 이월 [èryuè] February
二つ (ふたつ) 둘, 두 개 two

三	three	サン	み/みっ(つ)/み(つ)	석 (삼)
	sān	san	mi / mitsu / mitsu	seok (sam)

3 画
三月 (さんがつ) 삼월 [sānyuè] March
三つ (みっつ) 셋, 세 개 three

四	four	シ	よん/よっ(つ)/よ(つ)/よ	넉 (사)
	sì	shi	yon / yottsu / yotsu / yo	neok (sa)
5 画		四角 (しかく) 사각 [sìjiǎo] square 四月 (しがつ) 사월 [sìyuè] April 四季 (しき) 사계 [sìjì] the four seasons 四つ （よっつ） 넷, 네 개 four		
五	five	ゴ	いつ/いつ(つ)	다섯 (오)
	wǔ	go	itsu / itsutsu	daseot (o)
4 画		五月 (ごがつ) 오월 [wǔyuè] May 五つ （いつつ） 다섯, 다섯 개 five		
六	six	ロク	むっ(つ)/むい/む/む(つ)	여섯 (륙)
	liù	roku	muttsu / mui / mu / mutsu	yeoseot (ryuk)
4 画		六月 (ろくがつ) 유월 [liùyuè] June 六つ （むっつ） 여섯, 여섯 개 six		

11

七	seven	シチ	なな/なの/なな(つ)	일곱 (칠)
	qī	shichi	nana / nano / nanatsu	ilgop (chil)

	2画	七月 (しちがつ) 칠월 [qīyuè] July 七つ (ななつ) 일곱, 일곱 개 seven

八	eight	ハチ	やっ(つ)/よう/や(つ)	여덟 (팔)
	bā	hachi	yattsu / yō / yattsu	yeodeol (pal)

	2画	八月 (はちがつ) 팔월 [bāyuè] August 八つ (やっつ) 여덟, 여덟 개 eight

九	nine	キュウ/ク	ここの/ここの(つ)	아홉 (구)
	jiǔ	kyu / ku	kokono / kokonotsu	ahop (gu)

	2画	九月 (くがつ) 구월 [jiǔyuè] September 九つ (ここのつ) 아홉, 아홉 개 nine

十	ten	ジュウ/ ジッ	とお/と	열 (십)
	shí	ju / jitsu	too / to	yeol (ship)
	2 画	十分 (じゅうぶん) 십분 [shífēn] enough 十月 (じゅうがつ) 시월 [shíyuè] October 十 (とお) 열 ten		

千	thousand	セン	ち	일천 (천)
	qiān	sen	chi	ilcheon (cheon)
	3 画	千 (せん, ち) 천 thousand 千里 (せんり) 천리 [qiānlǐ] a long distance		

百	hundred	ヒャク	—	일백 (백)
	bǎi	hyaku	—	ilbaek (baek)
	6 画	百貨店 (ひゃっかてん) 백화점 百货商店 [bǎihuòshāngdiàn] department store 百年 (ひゃくねん) 백년 [bǎinián] 100 years 百 (ひゃく) 백 hundred		

13

月	moon, month	ガツ/ゲツ	つき	달 (월)
	yuè	gatsu / getsu	tsuki	dal (wol)

4画

明月 (めいげつ) 명월 [míngyuè] bright moon
月曜日 (げつようび) 월요일 Monday
正月 (しょうがつ) 정월 [zhēngyuè] Lunar New Year
月 (つき) 달 moon
月見 (つきみ) 달구경 moon viewing

火	fire	カ	ひ	불 (화)
	huǒ	ka	hi	bul (hwa)

4画

火山 (かざん) 화산 [huǒshān] volcano
花火 (はなび) 불꽃놀이 fireworks
火曜日 (かようび) 화요일 Tuesday
火 (ひ) 불 fire

水	water	スイ	みず	물 (수)
	shuǐ	sui	mizu	mul (su)

4画

水泳 (すいえい) 수영 [shuǐyǒng] swim
水曜日 (すいようび) 수요일 Wednesday
水 (みず) 물 water

木	tree, wood	モク/ボク	き/こ	나무 (목)
	mù	moku / boku	ki / ko	namu (mok)

4 画

木曜日 (もくようび) 목요일 Thursday
木材 (もくざい) 목재 [mùcái] lumber
木陰 (こかげ) 나무그늘 tree shade
木 (き) 나무 tree

金	gold, money	キン/コン	かね/かな	쇠 (금)
	jīn	kin / kon	kane / kana	soe (geum)

8 画

金曜日 (きんようび) 금요일 Friday
黄金 (おうごん) 황금 [huángjīn] gold
金貨 (きんか) 금화 gold coin
金 (かね) 돈 money

土	soil	ド/ト	つち	흙 (토)
	tǔ	do / to	tsuchi	heuk (to)

3 画

土曜日 (どようび) 토요일 Saturday
土地 (とち) 토지 [tǔdì] land
土 (つち) 흙 soil

15

日	sun, day	ニチ/ジツ	ひ/か	날 (일)
	rì	nich / jitsu	hi / ka	nal (il)
4 画		日記 (にっき) 일기 日记 [rìjì] diary 日本 (にほん) 일본 [rìběn] Japan 日曜日 (にちようび) 일요일 Sunday 祝日 (しゅくじつ) 축일 national holiday 日 (ひ) 날 day		

人	person	ニン/ジン	ひと	사람 (인)
	rén	nin / jin	hito	saram (in)
2 画		人口 (じんこう) 인구 [rénkǒu] population 人間 (にんげん) 인간 人间 [rénjiān] human 人 (ひと) 사람 person		

男	man, male	ダン/ナン	おとこ	사내 (남)
	nán	dan / nan	otoko	sanae (nam)
7 画		男性 (だんせい) 남성 [nánxìng] male 長男 (ちょうなん) 장남 长男 [zhǎngnán] the firstborn son 男 (おとこ) 남자 man 男の子 (おとこのこ) 소년 boy		

16

子	child	シ / ス	こ	아들 (자)
	zǐ	shi / su	ko	adeul (ja)

	帽子 (ぼうし) 모자 [mào·zi] hat
3 画	弟子 (でし) 제자 [dìzǐ] disciple
	椅子 (いす) 의자 [yǐ·zi] chair
	子供 (こども) 아이 child

女	woman, female	ジョ	おんな	계집 (녀)
	nǚ	jo	onna	gyejip (nyeo)

	女性 (じょせい) 여성 [nǚxìng] female
3 画	女子 (じょし) 여자 [nǚzǐ] girl
	女 (おんな) 여자 woman
	女の子 (おんなのこ) 소녀 girl

口	mouth	コウ / ク	くち	입 (구)
	kǒu	kou / ku	kuchi	ip (gu)

	人口 (じんこう) 인구 [rénkǒu] population
3 画	口腔 (こうこう) 구강 [kǒuqiāng] oral cavity
	口調 (くちょう) 어조 tone
	口 (くち) 입 mouth

17

手	hand	シュ	て		손 (수)
	shǒu	shu	te		son (su)

歌手 (かしゅ) 가수 [gēshǒu] singer
4 画 手紙 (てがみ) 편지 letter
手 (て) 손 hand

足	foot, leg	ソク	あし/た(す)/た(りる)/た(る)		발 (족)
	zú	soku	ashi / tasu / tariru / taru		bal (jok)

足跡 (あしあと) 족적 [zújì] footprint
足 (あし) 발 foot
7 画 足す (たす) 더하다, 보태다 add
足りる, 足る (たりる, たる) 충분하다 enough

見 见	see, look	ケン	み(る)/み(える)/み(せる)		볼 (견)
	jiàn	ken	miru / mieru / miseru		bol (gyeon)

意見 (いけん) 의견 意见 [yì·jiàn] opinion
見学 (けんがく) 견학 field trip
7 画 見る (みる) 보다 to see
見える (みえる) 보이다 to be seen
見せる (みせる) 보도록 하다 to show

18

目	eye	モク/ ボク	め	눈 (목)
	mù	moku	me	nun (mok)

	目的（もくてき）목적 [mùdì] purpose
5画	面目（めんぼく）면목 [miànmù] dignity, countenance
	目（め）눈 eye

耳	ear	ジ	みみ	귀 (이)
	ěr	shi	mimi	gwi (i)

6画	耳目（じもく）이목 [ěrmù] ears and eyes, attention
	耳（みみ）귀 ear

音	sound, noise	オン/ イン	おと/ね	소리 (음)
	yīn	on/in	oto / ne	sori (eum)

	音楽（おんがく）음악 音乐[yīnyuè] music
9画	子音（しいん）자음 [zǐyīn] consonant
	音（おと）소리 sound

力	strength, power	リョク/リキ	ちから		힘 (력)
	lì	ryoku / riki	chikara		him (ryeok)
	2画	学力 (がくりょく) 학력 [xuélì] academic ability 怪力 (かいりき) 괴력 [guàilì] superhuman strength 力士 (りきし) 씨름꾼 [lìshì] sumo wrestler 力 (ちから) 힘 strength			
上	up, above	ジョウ	うえ/かみ/のぼ(る)/ あ(げる)/あ(がる)/うわ		위 (상)
	shàng	jou	ue / kami / noboru / ageru / agaru / uwa		wi (sang)
	3画	上手 (じょうず) 솜씨가 좋음 [shàngshǒu] skillful 地上 (ちじょう) 지상 [dì·shang] on the ground 上 (うえ) 위 above, 上る (のぼる) 올라가다 to climb 上げる (あげる) 올리다 to raise 上がる (あがる) 오르다 to rise			
中	middle, inside	チュウ/ジュウ	なか		가운데 (중)
	zhōng	chuu / juu	naka		gaoonde (jung)
	4画	中央 (ちゅうおう) 중앙 [zhōngyāng] center 中学校 (ちゅうがっこう) 중학교 middle school 中 (なか) 안 middle			

下	down, below	ゲ / カ	した / しも / さ (げる) / さ (がる) / くだ (る) / くだ (す) / お (ろす) / お (りる)	아래 (하)
	xià	ge / ka	shita / shimo / sageru / sagaru / kudaru / kudasu / orosu / oriru	arae (ha)

以下 （いか） 이하 [yǐxià] lower than

上下 （じょうげ） 상하 [shàngxià] up and down

下手 (へた) 서투름 unskilled

下着 (したぎ) 하의 underwear

下 （した） 아래 below

下げる (さげる) 내리다, 낮추다 to lower

下がる (さがる) 내려가다, (값)떨어지다 to fall

下る (くだる) 내리다, 내려가다 to descend

下す (くだす) 강등하다, 내리다 to lower

降ろす (おろす) 내려 놓다 to put down

下りる (おりる) 내려오다 to descend

3 画

右	right	ウ / ユウ	みぎ	오른 (우)
	yòu	u / yuu	migi	oreun (u)

左右 (さゆう) 좌우 [zuǒyòu] left and right

右翼 （うよく） 우익 [yòuyì] right wing

右手 (みぎて) 오른손 [yòushǒu] right hand

右 （みぎ） 오른쪽 right

5 画

21

左	left	サ	ひだり	왼 (좌)
	zuǒ	sa	hidari	oen (jwa)
5 画	左側 (さそく) 좌측 左側 [zuǒcè] left side 左 (ひだり) 왼쪽 left			

大	large, big	ダイ / タイ	おお(きい)/おお/ おお(いに)	큰 (대)
	dà	dai / tai	ōkii / ō / ooini	keun (dae)
3 画	大切 (たいせつ) 소중한 important 大量 (たいりょう) 대량 [dàliàng] mass 大学 (だいがく) 대학 [dàxué] university 大きい (おおきい) 큰 large			

小	small, little	ショウ	ちい(さい)/こ/お	작을 (소)
	xiǎo	shou	chiisai / ko / o	jakeul (so)
3 画	大小 (だいしょう) 대소 [dàxiǎo] big and small 小数 (しょうすう) 소수 [xiǎoshù(r)] decimal (fraction) 小鳥 (ことり) 작은 새 little bird 小さい (ちいさい) 작다 small			

山	mountain	サン	やま	뫼 (산)
	shān	san	yama	mwo (san)
	3 画	山川 (さんせん) 산천 [shānchuān] mountains and streams 山 (やま) 산 mountain		

川	river	セン	かわ	내 (천)
	chuān	sen	kawa	nae (cheon)
	3 画	河川 (かせん) 하천 [héchuān] stream 川 (かわ) 강 river		

夕	evening	セキ	ゆう	저녁 (석)
	xī	seki	yū	jeonyeok (seok)
	3 画	朝夕 (ちょうせき) 조석 [zhāoxī] morning and evening 夕食 (ゆうしょく) 저녁 식사 supper 夕方 (ゆうがた) 해질녘 evening 夕焼け (ゆうやけ) 노을 sunset		

円	circle	エン	まる(い)	둥글(원)
圆	yuán	en	marui	dunggeul (won)
圓	4画	円形 (えんけい) 원형 圓形 [yuánxíng] circle 楕円 (だえん) 타원 椭圓 [tuǒyuán] oval 円 (えん) 엔 yen		

天	sky	テン	あま/ あめ	하늘 (천)
	tiān	ten	ama/ame	haneul (cheon)
	4画	天気 (てんき) 날씨 天气 [tiānqì] weather 天井 (てんじょう) 천장 ceiling		

王	king	オウ	—	임금 (왕)
	wáng	ou	—	imgeum (wang)
	4画	王国 (おうこく) 왕국 [wángguó] kingdom 王 (おう) 왕 king 王子 (おうじ) 왕자 [wángzǐ] prince		

24

犬	dog	ケン	いぬ	개 (견)
	quǎn	ken	inu	gae (gyeon)
4画		愛犬 (あいけん) 애견 pet dog 犬 (いぬ) 개 dog		

生	life, live	セイ / ショウ	い(きる)/い(ける)/い(かす)/ なま/う(まれる)/ う(む)/は(える)/は(やす)	날 (생)
	shēng	sei / shou	ikiru / ikeru / ikasu / nama / umareru / umu / haeru / hayasu	nal (saeng)
5画		生活 (せいかつ) 생활 [shēnghuó] life 一生 (いっしょう) 일생 [yìshēng] lifetime 生まれる (うまれる) 태어나다 to be born 生きる (いきる) 살다 to live 生ける (いける) 살게 하다 to grow 生かす (いかす) 살리다 to grow 生 (なま) 생, 날것 raw 生まれる (うまれる) 태어나다 to be born 生む (うむ) 낳다 to give birth 生える (はえる) 자라나다 to grow up 生やす (はやす) 자라게 하다 to be raised		

25

本	book	ホン	もと	근본 (본)
	bĕn	hon	moto	geunbon (bon)
	5画	本来 (ほんらい) 본래 [bĕnlái] originally 本屋 (ほんや) 책방 book store 本（ほん）책 book 本(もと) 시초, 근본 root, basis		

白	white	ハク	しろ/しろ(い)/しら	흰 (백)
	bái	haku	shiro / shiroi / shira	hwin (baek)
	5画	白雪 (はくせつ) 백설 [báixuĕ] white snow 白い （しろい）희다 white		

赤	red	セキ	あか/あか(い)/ あか(らむ)/あか(らめる)	붉을 (적)
	chì	seki	aka / akai / akaramu / akarameru	bulgeul (jeok)
	7画	赤道 (せきどう) 적도 [chìdào] the equator 赤い （あかい）빨간 red 赤ちゃん (あかちゃん) 아기 baby 赤らむ (あからむ) 불그스름해지다 be flushed 赤らめる (あからめる) 붉히다 to blush		

青	blue	セイ/ ショウ	あお/あお(い)	푸를 (청)
	qīng	sei/shou	ao / aoi	pureul (cheong)

青	8画	青年 (せいねん) 청년 [qīngnián] the young 緑青 (ろくしょう) 녹청 green rust 青い （あおい） 푸르다 blue

正	correct	セイ/ ショウ	ただ(しい)/まさ/ ただ(す)	바를 (정)
	zhèng	sei / shou	tadashii / masa / tadasu	bareul (jeong)

正	5画	正直 (しょうじき) 정직 [zhèngzhí] honesty 正解 (せいかい) 정답 correct answer 正しい （ただしい） 올바른 correct 正す(ただす) 바르게 하다 to correct

立	stand, establish	リツ	た(つ)/た(てる)	설 (립)
	lì	ritsu	tatsu / tateru	seol (rip)

立	5画	国立 (こくりつ) 국립 [guólì] national 立派 (りっぱ) 훌륭하다 splendid 立つ （たつ） 일어서다 to stand 立てる (たてる) 세우다 to erect, stand up

出	exit, leave	シュツ	で(る)/だ(す)	날 (출)
	chū	shutsu	deru / dasu	nal (chul)

5画
脱出（だっしゅつ）탈출 [tuōchū] escape
出る（でる）나가다, 나아가다 to go out
出す(だす) 내다, 내놓다 to take out, present

入	enter, insert	ニュウ	はい(る)/い(れる)/い(る)	들 (입)
	rù	nyuu	hairu / ireru / iru	deul (ip)

2画
入学 (にゅうがく) 입학 [rùxué] enter a school
入口 (いりぐち) 입구 [rùkǒu] entrance
入れる (いれる) 넣다 put in
入る (はいる/いる) 들다, 들어가다 to enter

名	name	メイ/ミョウ	な	이름 (명)
	míng	mei / myou	na	ireum (myeong)

6画
本名 (ほんみょう) 본명 [běnmíng] real name
名詞 (めいし) 명사 noun
名前 (なまえ) 이름 name

学	study, learn	ガク	まな(ぶ)	배울 (학)
	xué	gaku	manabu	baeul (hak)

學	8画	学問 (がくもん) 학문 学问 [xué·wen] learning, study 学校 (がっこう) 학교 [xuéxiào] school 学ぶ (まなぶ) 배우다 to learn

校	school	コウ	—	학교 (교)
	xiào	kou	—	hakgyo (gyo)

	10画	校正 (こうせい) 교정 [jiàozhèng] proofread 校長 (こうちょう) 교장 校长 [xiàozhǎng] principal 学校 (がっこう) 학교 school

文	writing, literature	ブン/モン	ふみ	글월 (문)
	wén	bun / mon	humi	geulwol (mun)

	4画	文化 (ぶんか) 문화 [wénhuà] culture 文学 (ぶんがく) 문학 [wénxué] literature 文章 (ぶんしょう) 문장 [wénzhāng] sentence

29

字	character, letter	ジ	あざ	글자 (자)
	zì	ji	aja	geulja (ja)
6画		字幕 (じまく) 자막 [zìmù] subtitles 漢字 (かんじ) 한자 汉字 [Hànzì] Chinese character		

休	rest, break	キュウ	やす(む)/やす(まる)/ やす(める)	쉴 (휴)
	xiū	kyu	yasumu / yasumaru / yasumeru	swil (hyu)
6画		休息 (きゅうそく) 휴식 [xiū·xi] rest 休日 (きゅうじつ) 휴일 holiday 休む (やすむ) 쉬다 to rest 休まる (やすまる) 편안해지다 to feel at ease 休める (やすめる) 쉬게 하다 to allow to rest		

先	ahead, first	セン	さき	먼저 (선)
	xiān	sen	saki	meonjeo (seon)
6画		先生 (せんせい) 선생님 [xiān·sheng] teacher 先輩 (せんぱい) 선배 senior 先 (さき) 앞 front		

30

気	spirit, mind	キ/ケ	—	기운 (기)
气	qì	ki / ke	—	giun (gi)
氣	6画	気色 (けしき) 기색 气色 [qìsè] look, expression 気象 (きしょう) 기상 weather 気分 (きぶん) 기분 feeling 気持ち (きもち) 감정, 기분 feeling		

年	year	ネン	とし	해 (년)
	nián	nen	toshi	hae (nyeon)
	6画	年間 (ねんかん) 연간 年间 [niánjiān] annually 年 (とし) 해 year		

早	early, fast	ソウ	はや(い)/はや(める)/ はや(まる)	일찍 (조)
	zǎo	sou	hayai / hayameru / hayamaru	iljjik (jo)
	6画	早退(そうたい) 조퇴 [zǎotuì] early leave 早い (はやい) 빠르다 early 早める (はやめる) 이르게 하다 to hasten, speed up 早まる (はやまる) 빨라지다 to happen early		

31

竹	bamboo	チク	たけ	대 (죽)
	zhú	chiku	take	dae (juk)

6画
爆竹（ばくちく）폭죽 [bàozhú] firecracker
竹（たけ）대나무 bamboo

虫	insect	チュウ	むし	벌레 (훼), (충)
	chóng	chuu	mushi	beolle (hwae), (choong)

蟲 6画
昆虫 (こんちゅう) 곤충 [kūnchóng] insect
虫歯 (むしば) 충치 cavity
虫 (むし) 벌레 bug

糸	thread, string	シ	いと	실 (사)
丝	sī	shi	ito	sil (sa)

絲 6画
蚕糸 (さんし) 잠사 蚕丝 [cánsī] silk
糸 (いと) 실 thread

花	flower	カ	はな	꽃 (화)
	huā	ka	hana	ggot (hwa)
7画		花瓶 (かびん) 화병 [huāpíng(r)] vase 花粉 (かふん) 화분 pollen 花 (はな) 꽃 flower		

町	town	チョウ	まち	밭두둑 (정)
	tǐng	chou	machi	batdudug (jeong)
7画		町内 (ちょうない) 동네 neighborhood 町 (まち) 마을 town		

貝 贝	shell fish	—	かい	조개 (패)
	bèi	—	kai	jogae (pae)
7画		貝柱 (かいばしら) 조개관자 scallops 貝 (かい) 조개 shellfish		

車	car	シャ	くるま	수레 (거), (차)
车	chē	sha	kuruma	sure (geo, cha)
7画		車庫 (しゃこ) 차고 车库[chēkù] garage 自動車 (じどうしゃ) 자동차 car 車 (くるま) 차 car		

田	rice field	デン	た	밭 (전)
	tián	den	ta	bat (jeon)
5画		油田 (ゆでん) 유전 [yóutián] oilfield 田んぼ (たんぼ) 논 field		

村	village	ソン	むら	마을 (촌)
	cūn	son	mura	maeul (chon)
7画		村落 (そんらく) 촌락 [cūnluò] village 村 (むら) 마을 village		

玉	jewel, ball	ギョク	たま	구슬 (옥)
	yù	gyoku	tama	guseul (ok)

珠玉 (しゅぎょく) 주옥 [zhūyù] gem
5画　玉子 (たまご) 달걀 egg
玉 (たま) 구슬 bead

石	stone	セキ/ シャク	いし	돌 (석)
	shí	seki / shak	ishi	dol (seok)

磁石 (じしゃく) 자석 [císhí] magnet
石油 (せきゆ) 석유 [shíyóu] petroleum
5画　石器 (せっき) 석기 [shíqì] stone tool
石 (いし) 돌 stone

空	sky, empty	クウ	そら/から/あ(ける)/ あ(く)	빌 (공)
	kōng	kuu	sora / kara / akeru / aku	bil (gong)

空港 (くうこう) 공항 [kōnggǎng] airport
空 (そら) 하늘 sky
8画　空ける (あける) 비우다 to empty out
空く (あく) 비다 empty, vacant

35

雨	rain	ウ	あめ/あま	비 (우)
	yǔ	u	ame / ama	bi (u)
8画		雨天 (うてん) 우천 [yǔtiān] rainy weather 暴雨 (ぼうう) 폭우 heavy rain 雨 (あめ) 비 rain		

林	woods, forest	リン	はやし	수풀 (림)
	lín	rin	hayashi	supul (rim)
8画		林野 (りんや) 임야 [línyě] forest land 林 (はやし) 숲 forest		

草	grass	ソウ	くさ	풀 (초)
	cǎo	sou	kusa	pul (cho)
9画		草食 (そうしょく) 초식 [cǎoshí] herbivorous 草創 (そうそう) 초창 beginning 草 (くさ) 풀 grass		

森	forest	シン	もり	수풀 (삼)
	sēn	shin	mori	supul (sam)
12 画	森林 (しんりん) 삼림 [sēnlín] forest 森 (もり) 숲 forest			

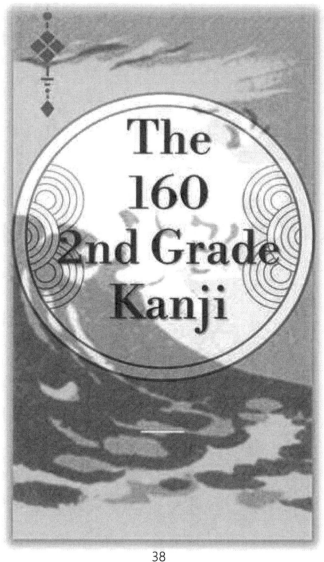

刀	sword	トウ	かたな		칼 (도)
	dāo	tou	katana		kal (do)
	2 画	刀身 (とうしん) 도신 [dāoshēn] blade 刀剣 (とうけん) 도검 sword 刀 (かたな) 외날 검 sword			

万	ten thousand	マン/ バン	―		일만 (만)
	wàn	man	―		ilman (man)
萬	3 画	万引き (まんびき) 소매치기 shoplifting 万国 (ばんこく) 만국 [wànguó] all nations 万歳 (ばんざい) 만세 hooray			

才	talent	サイ	―		재주 (재)
	cái	sai	―		jaejoo (jae)
	3 画	天才 (てんさい) 천재 [tiāncái] genius 才能 (さいのう) 재능 [cáinéng] talent 秀才 (しゅうさい) 수재 [xiù·cai] talented person			

弓	bow	キュウ	ゆみ		활 (궁)
	gōng	kyu	yumi		hwal (gung)
3画		弓道 (きゅうどう) 궁도 [gōngdào] archery 弓矢 (ゆみや, きゅうし) 궁시 bow and arrow			

丸	circle, round	ガン	まる/まる(い)/ まる(める)		둥글 (환)
	wán	gan	maru/maru(i)/maru(meru)		doonggeul (hwan)
3画		丸薬 (がんやく) 환약 丸药 [wányào] pill 丸ごと (まるごと) 통째로 whole, entire 丸い (まるい) 둥글다 round 丸める (まるめる) 둥글게 하다 to round off			

工	craft, industry	コウ/ク	—		장인 (공)
	gōng	kou/ku	—		jangeen (gong)
3画		工夫 (くふう) 궁리함, 고안함 [gōng·fu] ingenuity 工事 (こうじ) 공사 construction 工学 (こうがく) 공학 [gōngxué] engineering			

40

方	way, method	ホウ	かた	모 (방)
	fāng	hou	kata	mo (bang)

方針 (ほうしん) 방침 方针 [fāngzhēn] policy
方法 (ほうほう) 방법 [fāngfǎ] method
4 画
方言 (ほうげん) 방언 [fāngyán] dialect
方 (かた) 쪽, 편, 방향 way, side

止	stop, halt	シ	と(まる)/と(める)	그칠 (지)
	zhǐ	shi	to(maru)/to(meru)	geuchil (ji)

停止 (ていし) 정지 [tíngzhǐ] stop
4 画 止まる(とまる) 멎다 to stop (intransitive)
止める(とめる) 멈추다, 세우다 to halt (transitive)

今	now, present	コン /キン	いま	이제 (금)
	jīn	kon/kin	ima	eejay (geum)

今晩 (こんばん) 오늘 밤 tonight
今後 (こんご) 금후 今后 [jīnhòu] from now on
4 画
今週 (こんしゅう) 금주 this week
今 (いま) 지금 now

41

公	public, official	コウ	おおやけ	공평할 (공)
	gōng	kou	ooyake	gongpyeonghal (gong)
	4画	公式 (こうしき) 공식 [gōngshì] formula 公園 (こうえん) 공원 公园 [gōngyuán] park 公開 (こうかい) 공개 公开 [gōngkāi] public, open 公(おおやけ) 정부, 공공 government, public		

切	cut, sever	セツ	き(る)/き(れる)	끊을 (절)
	qiē	setsu	ki(ru)/ki(reru)	ddeuneul (jeol)
	4画	切断 (せつだん) 절단 [qiēduàn] cut 切符 (きっぷ) 표 ticket, 切る (きる) 베다 to cut 切れる (きれる) 끊어지다 to be cut		

分	part, minute	ブン/ フン/ブ	わ(かる)/わ(ける)/ わ(かれる)/わ(かつ)	나눌 (분)
	fēn	bun/fun/bu	wa(karu)/wa(keru)/ wa(kareru)/wa(katsu)	nanul (bun)
	4画	分(ふん) 분 minute, 部分(ぶぶん)부분 [bù·fen] part 分野 (ぶんや) 분야 [fēnyě] field 分(か)る (わかる) 알다, 깨닫다 to understand 分(か)れる (わかれる)갈라지다 to be divided 分ける (わける) 나누다 to divide, share 分(か)つ(わかつ) 나누다 to divide		

42

元	origin, beginning	ゲン/ ガン	もと	으뜸 (원)
	yuán	gen/gan	moto	euddeum (won)
	4 画	元旦 (がんたん) 원단 [yuándàn] Lunar New Year 元気 (げんき) 원기 energy 元素 (げんそ) 원소 [yuánsù] element		
内	inside, within	ナイ	うち	안 (내)
	nèi	nai	uchi	an (nae)
內	4 画	内科 (ないか) 내과 [nèikē] internal medicine 内容 (ないよう) 내용 [nèiróng] contents 内 (うち) 안(쪽) inside		
午	noon	ゴ	—	낮 (오)
	wǔ	go	—	nat (o)
	4 画	午後 (ごご) 오후 afternoon 午前 (ごぜん) 오전 [wǔqián] am/morning		

太	fat, thick	タ/タイ	ふと(い)/ふと(る)	클 (태)
	tài	ta/tai	futo(i)/futo(ru)	keul (tae)

4画

太陽 (たいよう) 태양 太阳 [tàiyáng] sun
太い (ふとい) 굵다 thick
太る(ふとる) 살찌다 to gain weight

友	friend, companion	ユウ	とも	벗 (우)
	yǒu	yuu	tomo	beot (u)

4画

友情 (ゆうじょう) 우정 [yǒuqíng] friendship
友人 (ゆうじん) 우인, 친구 [yǒurén] friend
友好 (ゆうこう) 우호 amity

少	few, little	ショウ	すく(ない)/すこ(し)	적을 (소)
	shǎo	shou	suku(nai)/suko(shi)	jeokeul (so)

4画

稀少 (きしょう) 희소 [xīshǎo] rare
少年 (しょうねん) 소년 boy
少ない (すくない) 적다 few
少し (すこし) 조금, 약간 a bit

引	pull, draw	イン	ひ(く)/ひ(ける)	끌 (인)
	yǐn	in	hi(ku)/hi(keru)	reul (in)
4画		引力 (いんりょく) 인력 [yǐnlì] gravity 引く (ひく) 끌다 to pull 引ける (ひける) 기가 죽다, 일이 파하다 to withdraw, retreat		
心	heart, mind	シン	こころ	마음 (심)
	xīn	shin	kokoro	maeum (sim)
4画		心臓 (しんぞう) 심장 心脏 [xīnzàng] heart 心配 (しんぱい) 걱정, 배려 concern 心(こころ) 마음 mind		
戸 户	door, house	コ	と	집 (호)
	hù	ko	to	jib (ho)
戶	4画	戸籍 （こせき） 호적 户籍[hùjí] family register 戸棚 (とだな) 찬장 cupboard 戸口 (とぐち) 출입구 doorway 戸惑う(とまどう) 어리둥절해하다 confused		

45

毛	hair, fur	モウ	け		털 (모)
	máo	mou	ke		teol (mo)
4 画		毛皮 (けがわ) 모피 fur 毛布 (もうふ) 모포 [máobù] blanket			
牛	cow, bull	ギュウ	うし		소 (우)
	niú	gyuu	ushi		so (u)
4 画		牛肉 (ぎゅうにく) 소고기 [niúròu] beef 牛乳 (ぎゅうにゅう) 우유 [niúrǔ] milk			
父	father	フ	ちち		아비 (부)
	fù	fu	chichi		abi (bu)
4 画		父母 (ふぼ) 부모 [fùmǔ] parents 父親 (ちちおや) 부친 father			
母	mother	ボ	はは		어미 (모)
	mǔ	bo	haha		eomi (mo)
5 画		父母 (ふぼ) 부모 [fùmǔ] parents 母親 (ははおや) 모친 mother			

46

兄	elder brother	キョウ/ケイ	あに		맏 (형)
	xiōng	kyou	ani		mat (hyeong)
5 画		兄弟 (きょうだい, けいてい) 형제 [xiōngdì] brothers			

冬	winter	トウ	ふゆ		겨울 (동)
	dōng	tou	fuyu		gyeoul (dong)
5 画		冬季 (とうき) 동계 [dōngjì] winter season 冬眠 (とうみん) 동면 [dōngmián] hibernation 冬(ふゆ) 겨울 winter			

古	old, ancient	コ	ふる(い)/ふる(す)		옛 (고)
	gǔ	ko	furu(i)/furu(su)		yeos (go)
5 画		古代 (こだい) 고대 [gǔdài] ancient times 古い (ふるい) 오래되다 old 古す (ふるす) 낡게 하다 to age something			

47

台	pedestal	ダイ / タイ	—	대 (태)
	tái	dai/tai	—	dae (tae)
臺	5 画	台風 (たいふう) 태풍 台风 [táifēng] typhoon 寝台 (しんだい) 침대 bed		

外	outside, out	ガイ	そと/ほか/はず(す)/ はず(れる)	밖 (외)
	wài	gai	soto/hoka/hazu(su)/ hazu(reru)	bak (oe)
	5 画	外国 (がいこく) 외국 [wàiguó] foreign country 外(ほか) 다른 other, another 外(そと) 밖 outside 外す(はずす) 떼다 to remove 外れる(はずれる) 빠지다 to be removed		

北	north	ホク	きた	북녘 (북)
	běi	hoku	kita	buknyeol (buk)
	5 画	北米 (ほくべい) 북미 North America 北海道 (ほっかいどう) 홋카이도 Hokkaido 北方 (ほっぽう) 북방 [běifāng] north 北極 (ほっきょく) 북극 北极[běijí] north pole		

市	city, market	シ	いち	저자 (시)
	shì	shi	ichi	jeoja (si)
5画		市民 (しみん) 시민 [shìmín] citizen 市場 (いちば) 시장 市场[shìchǎng] market		

半	half, semi-	ハン	なか(ば)	반 (반)
	bàn	han	naka(ba)	ban (ban)
5画		半分 (はんぶん) 반분 [bànfēn(r)] half 半ば (なかば) 절반 half		

広 广 廣	wide, spacious	コウ	ひろ(い)/ひろ(がる)/ ひろ(める)/ひろ(まる)/ ひろ(げる)	넓을 (광)
	guǎng	kou	hiro(i)/hiro(garu)/ hiro(meru)/hiro(maru)/ hiro(geru)	neolbeul (gwang)
5画		広場 (ひろば) 광장 广场[guǎngchǎng] square 広告 (こうこく) 광고 广告[guǎnggào] advertisement 広い(ひろい) 넓다 wide 広がる(ひろがる) 넓어지다 to appear wide 広まる(ひろまる) 넓어지다, 보급되다 to become wide, broaden 広める(ひろめる) 넓히다, 보급시키다 to widen 広げる(ひろげる) 넓히다 to widen, extend		

49

用	use, purpose	ヨウ	もち(いる)	쓸 (용)
	yòng	you	mochi(iru)	sseul (yong)
5画		使用 (しよう) 사용 [shǐyòng] usage 用意 (ようい) 용의 [yòngyì] intention 用いる (もちいる) 쓰다, 사용하다 to use		

矢	arrow	シ	や	화살 (시)
	shǐ	shi	ya	hwasal (si)
5画		嚆矢 (こうし) 효시 [hāoshǐ] the starting point 矢印 (やじるし) 화살표 arrow mark 矢 (や) 화살 arrow		

合	fit, suit	ゴウ/ ガッ/カッ	あ(う)/あ(わせる)/ あ(わす)	합할 (합)
	hé	gou/gat/ kat	a(u)/a(waseru)/a(wasu)	haphal (hap)
6画		合格 (ごうかく) 합격 [hégé] pass (an exam) 合同 (ごうどう) 합동 joint / [hé·tong]: 계약 contract 合唱 (がっしょう) 합창 [héchàng] chorus 合戦 (かっせん) 전투 battle, 合図 (あいず) 신호 signal 合う(あう) 일치하다 to fit 合わす(あわす) 합치다, 모으다 to gather 合(わ)せる (あわせる) 병합하다 to gather, align		

同	same, equal	ド ウ	おな(じ)	한가지 (동)
	tóng	dou	onaji	hangaji (dong)

6 画

同時 (どうじ) 동시 [tóngshí] simultaneously
同意 (どうい) 동의 [tóngyì] agreement
同じ (おなじ) 같음 same

会	meeting, assembly	カイ	あ(う)	모일 (회)
	huì	kai	a(u)	moil (hoe)

會　6 画

会議 (かいぎ) 회의 meeting
会話 (かいわ) 회화 会话 [huìhuà] conversation
会う (あう) 만나다 to meet

行	go, walk	ギョウ/ コウ	い(く)/ゆ(く)/おこな(う)	다닐 (행)
	xíng	gyou/ kou	i(ku)/yu(ku)/okona(u)	danil (haeng)

6 画

行動 (こうどう) 행동 [xíngdòng] action
行列 (ぎょうれつ) 행렬 line, matrix
行く(いく, ゆく) 가다 to go
行う(おこなう) 하다, 행하다 to perform, conduct

羽	feather	ウ	はね/は	깃 (우)
	yǔ	u	hane/ha	git (u)

| 羽 | 6画 | 羽毛 (うもう) 우모 [yǔmáo] feather
羽 (はね) 날개 wing | | |

光	light, shine	コウ	ひかり/ひか(る)	빛 (광)
	guāng	kou	hikari/hika(ru)	bit (gwang)

| 光 | 6画 | 光景 (こうけい) 광경 [guāngjǐng] scene, spectacle
光線 (こうせん) 광선 ray of light
光 (ひかり) 빛 light
光る(ひかる) 빛나다 to shine | | |

色	color, hue	ショク/シキ	いろ	빛 (색)
	sè	shoku/shiki	iro	bit (saek)

| 色 | 6画 | 特色 (とくしょく) 특색 [tèsè] distinct characteristic
色彩 (しきさい) 색채 [sècǎi] color
色 (いろ) 색 color
色々 (いろいろ) 가지가지 various | | |

多	many, much	タ	おお(い)	많을 (다)
		duō	ta	oo(i)	maneul (da)

duō　ta　oo(i)　maneul (da)

6画
多数 (たすう) 다수 [duōshù] majority
多分 (たぶん) 많은 양, 대개, 아마 maybe
多い (おおい) 많다 many

寺	temple, shrine	ジ	てら	절 (사)

sì　ji　tera　jeol (sa)

6画
寺院 (じいん) 사원 [sìyuàn] temple
寺 (てら) 절 temple

当	appropriate hit	トウ	あ(たる)/あ(てる)	마땅 (당)

dāng　tou　ataru/ateru　madang (dang)

當　6画
当日 (とうじつ) 당일 [dàngrì] that day
当時 (とうじ) 당시 at that time
当然 (とうぜん) 당연 [dāngrán] naturally
当たる (あたる) 맞다 to be accurate
当てる (あてる) 맞히다 to hit

池	pond, pool	チ	いけ	못 (지)
	chí	chi	ike	mot (ji)
6画		池沼 (ちしょう) 못과 늪, 지소 [chízhǎo] pond and marsh 池泉 (ちせん) 지천 garden pond 池(いけ) 연못 pond 池袋(いけぶくろ) 이케부쿠로 ikebukuro		

回	times, round	カイ	まわ(る)/まわ(す)	돌 (회)
	huí	kai	mawa(ru)/mawa(su)	dol (hoe)
6画		回答 (かいとう) 회답 [huídá] answer, reply 回数 (かいすう) 횟수 [huíshù] number of times 回る(まわる) 돌다 to turn 回す(まわす) 돌리다 to rotate		

地	ground, earth	チ/ジ	—	땅 (지)
	dì	chi/ji	—	ddang (ji)
6画		地震 (じしん) 지진 [dìzhèn] earthquake 地理 (ちり) 지리 [dìlǐ] geography 地域 (ちいき) 지역 [dìyù] region 地図 (ちず) 지도 map		

每	every, each	マイ	一		매양 (매)
每	měi	mai	一		maeyang (mae)
每	6画	每日 (まいにち) 매일 every day 每週 (まいしゅう) 매주 [měizhōu] every week			

考	think, consider	コウ	かんが(える)		생각할 (고)
	kǎo	kou	kangae(ru)		saengkakhal (go)
	6画	考慮 (こうりょ) 고려 考慮 [kǎolǜ] consideration 考え(かんがえ) 생각 thought 考える(かんがえる) 생각하다 to think			

米	rice, meal	マイ/ベイ	こめ		쌀 (미)
	mǐ	mai/bei	kome		ssal (mi)
	6画	玄米 (げんまい) 현미 [xuánmǐ] brown rice 米国 (べいこく) 미국 united states 米(こめ) 쌀 rice			

55

肉	meat, flesh	ニク	—	고기 (육)
	ròu	niku	—	gogi (yuk)

6画　肉体 (にくたい) 육체 [ròutǐ] body

交	mix, mingle	コウ	まじ(わる)/まじ(える)/ま(じる)/ま(ぜる)/ま(ざる)	사귈 (교)
	jiāo	kou	maji(waru)/maji(eru)/ma(jiru)/ma(zeru)/ma(zaru)	sagwil (gyo)

交通 (こうつう)교통 [jiāotōng] traffic, transportation

交換 (こうかん) 교환 交换 [jiāohuàn] exchange

交わる (まじわる) 교차하다, 엇갈리다 to intersect, cross

6画　交える(まじえる) 섞다, 교차시키다 to intermingle, mix

交ぜる(まぜる) 섞(어 넣)다 to blend, shuffle

交じる(まじる) 섞이다 to mingle, blend

交ざる(まざる) 섞이다 to mingle

自	self, oneself	ジ/シ	みずか(ら)	스스로 (자)
	zì	zi/shi	mizuka(ra)	seuseuro (ja)

自然 (しぜん) 자연 [zìrán] nature

自動 (じどう) 자동 自动 [zìdòng] automatic

6画　自由 (じゆう) 자유 [zìyóu] freedom

自ら(みずから) 자기 자신 oneself

西	west	セイ/ サイ	にし		서녘 (서)
	xī	sei/sai	nishi		seonyeol (seo)

6画	西洋 (せいよう) 서양 [xīyáng] the west 西方 (さいほう) 서방 [xīfāng] west side 西 (にし) 서 west

声	voice, sound	セイ	こえ		소리 (성)
	shēng	sei	koe		sori (seong)

聲	7画	声音 (こわね) 음성 sound, voice 声楽 (せいがく) 성악 声乐[shēngyuè] vocal music 声(こえ) (목)소리 voice

体	body, form	タイ/ テイ	からだ		몸 (체)
	tǐ	tai	karada		mom (che)

體	7画	体温 (たいおん) 체온 [tǐwēn] body temperature 体操 (たいそう) 체조 [tǐcāo] gymnastics 体裁 (ていさい) 외관, 체재 genre, form

57

走	run	ソウ	はし(る)	달릴 (주)
	zǒu	sou	hashi(ru)	dalril (ju)

7画	走行 (そうこう) 주행 running 逃走 (とうそう) 도주 [táozǒu] escape 走る (はしる) 달리다 to run

里	village	リ	さと	마을 (리)
	lǐ	ri	sato	maeul (ri)

7画	千里 (せんり) 천리 [qiānlǐ] a long distance 里 (さと) 마을 village 里山 (さとやま) 마을 근처 산 mountain village 里心(さとごころ) 고향 생각, 향수 hometown feeling

形	shape, form	ケイ/ ギョウ	かた/かたち	모양 (형)
	xíng	kei/gyou	kata/katachi	moyang (hyeong)

7画	形成 (けいせい) 형성 [xíngchéng] formation 形容 (けいよう) 형용 [xíngróng] adjective, description 人形 (にんぎょう) 인형 doll 形(かたち, かた) 모양, 형태 shape, form

図	map, diagram	ズ/ト	—	그림 (도)
图	tú	zu/to	—	geurim (do)
圖	7画	地図 (ちず) 지도 地图 [dìtú] map 図書 (としょ) 도서 图书 [túshū] book		

売	sell, sale	バイ	う(る)/う(れる)	팔 (매)
卖	mài	bai	u(ru)/u(reru)	pal (mae)
賣	7画	売店 (ばいてん) 매점 shop 販売 (はんばい) 판매 贩卖 [fànmài] sales 売る(うる) 팔다 to sell 売れる(うれる) 팔리다 to be sold		

弟	younger brother	ダイ/ デ	おとうと	아우 (제)
	dì	dai/de	otouto	au (je)
	7画	兄弟 (きょうだい) 형제 [xiōngdì] brother 弟子 (でし) 제자 [dìzǐ] disciple 弟 (おとうと) 남동생 little brother		

59

何	what, how much	―	なに/なん	어찌 (하)
	hé	―	nani/nan	eojji (ha)

7画	何度 (なんど) 몇 번 how many times 何事 (なにごと) 무슨 일 what

作	make, create	サク/サ	つく(る)	지을 (작)
	zuò	saku/sa	tsuku(ru)	jieul (jak)

7画	作業 (さぎょう) 작업 作业 [zuòyè] work 作品 (さくひん) 작품 [zuòpǐn] piece of work 作る (つくる) 만들다 to make

角	angle, corner	カク	かど/つの	뿔 (각)
	jiǎo	kaku	kado/tsuno	bbul (gak)

7画	角度 (かくど) 각도 [jiǎodù] angle 角(かど) 모서리 corner 角(つの) 뿔 horn

汽	steam, engine	キ	—	물끓는김 (기)
	qì	ki	—	mulkkeutneungim (gi)
	7 画	蒸気(じょうき) 증기 蒸汽 [zhēngqì] steam 汽車 (きしゃ) 기차 train		

近	near, close	キン	ちか(い)	가까울 (근)
	jìn	kin	chika(i)	gakkawool (geun)
	7 画	近所 (きんじょ) 근처 neighborhood 近年 (きんねん) 근년 [jìnnián] recent years 近い(ちかい) 가깝다 near		

来	come, arrival	ライ	く(る)/ きた(る)/きた(す)	올 (래)
	lái	rai	kuru/kitaru/kitasu	ol (lae)
來	7 画	来週 (らいしゅう) 다음 주 next week 来る(くる, きたる) 오다 to come 来す(きたす) 오게 하다, 초래하다 to cause		

社	company, society	シャ	やしろ	모일 (사)
	shè	sha	yashiro	moil (sa)
7画		会社 (かいしゃ) 회사 [huìshè] company 社会 (しゃかい) 사회 [shèhuì] society 社 (やしろ) 신사 shrine		

言	word, language	ゲン/ゴン	い(う)/こと	말씀 (언)
	yán	gen/gon	i(u)/koto	malsseum (eon)
7画		遺言 (ゆいごん) 유언 [yíyán] will 言語 (げんご) 언어 [yǔyán] language 言葉 (ことば) 말 word 言う(いう) 말하다 to say		

谷	valley	コク	たに	골 (곡)
	gǔ	kou	tani	gol (gok)
7画		峡谷 (きょうこく) 협곡 [xiágǔ] canyon 谷間 (たにあい) 산골짜기 valley 谷 (たに) 골짜기 valley		

麦	wheat, barley	バク	むぎ		보리 (맥)
	mài	baku	mugi		bori (maek)

| 麥 | 7画 | 麦芽 (ばくが) 맥아, 엿기름 [màiyá] malt
小麦 (こむぎ) 밀 wheat
麦茶 (むぎちゃ) 보리차 barley tea | | | |

歩	walk, step	ホ	ある(く)/あゆ(む)		걸음 (보)
歩	bù	ho	aru(ku)/ayu(mu)		geoleum (bo)

| 歩 | 8画 | 散歩 (さんぽ) 산보 [sànbù] walk, stroll
歩道 (ほどう) 보도 [bùdào] sidewalk
歩く(あるく) 걷다, 산책하다 to walk
歩む (あゆむ) 걷다, 지내다 to proceed, walk | | | |

国	country, nation	コク	くに		나라 (국)
	guó	koku	kuni		nara (guk)

| 國 | 8画 | 国内 (こくない) 국내 [guónèi] domestic
国語 (こくご) 국어 [guóyǔ] national language
国 (くに) 나라 country | | | |

明	bright, clear	メイ/ ミョウ	あか(るい)/あ(かり)/ あき(らか)/あ(かす)/ あ(ける)/あ(くる)/あ(く)/ あか(らむ)/あか(るむ)	밝을 (명)
	míng	mei/ myou	akaru(i)/a(kari)/ akira(ka)/a(kasu)/ a(keru)/a(kuru)/a(ku)/ akaramu/akarumu	balgeul (myeong)

明日 (みょうにち, あす, あした) 내일 [míngrì]
tomorrow

証明(しょうめい) 증명 证明[zhèngmíng] proof

明るい (あかるい) 밝다 bright

明り(あかり) 밝은 빛 light

明らか(あきらか) 밝음 clear

8 画

明ける(あける) 날이 새다, 밝아지다 to dawn

明くる(あくる) 다음의, 이듬 next

明く(あく) 열리다 to open

明らむ(あからむ) (동이 터서) 훤해지다
to grow bright, dawn

明るむ(あかるむ) 밝아지다 to grow bright

姉 姉	elder sister	シ	あね	윗누이 (자)
	zǐ	shi	ane	ywitnui (ja)

8 画

姉妹 (しまい) 자매 [zǐmèi] sisters

姉(あね) 언니 older sister

妹	younger sister	マイ	いもうと		누이 (매)
	mèi	mai	imouto		nui (mae)
	8 画	姉妹 (しまい) 자매 [zǐmèi] sisters 妹 (いもうと) 여동생 younger sister			
夜	night, evening	ヤ	よ/よる		밤 (야)
	yè	ya	yo/yoru		bam (ya)
	8 画	夜間 (やかん) 야간 夜间 [yè·jiān] at night 夜 (よる) 밤 night			
岩	rock, boulder	ガン	いわ		바위 (암)
	yán	gan	iwa		bawi (am)
巌	8 画	岩石 (がんせき) 암석 [yánshí] rock 岩 (いわ) 바위 rock			
店	store, shop	テン	みせ		가게 (점)
	diàn	ten	mise		gage (jeom)
	8 画	商店 (しょうてん) 상점 [shāngdiàn] shop 店舗 (てんぽ) 점포 [diànpù] store 店 (みせ) 가게 store			

東	east	トウ	ひがし	동녘 (동)
东	dōng	tou	higashi	dongnyeol (dong)

	8画	東京 (とうきょう) 도쿄 东京[dōngjīng] Tokyo 東 (ひがし) 동 east

京	capital	キョウ	—	서울 (경)
	jīng	kyou	—	seoul (gyeong)

	8画	京都 (きょうと) 쿄토 [jīngdū] Kyoto

画	picture, painting	カク/ガ	—	그림 (화)
	huà	kaku/ga	—	geurim (hwa)

畫	8画	画面 (がめん) 화면 [huàmiàn] screen 絵画 (かいが) 회화 绘画[huìhuà] painting 画家 (がか) 화가 [huàjiā] painter 計画 (けいかく) 계획 plan

直	straight, direct	チョク/ジ キ	なお(す)/なお(る)/ ただ(ちに)	곧을 (직)
	zhí	choku/ jiki	nao(su)/nao(ru)/ tada(chi ni)	gocheul (jik)
8画		直接 (ちょくせつ) 직접 [zhíjiē] directly 直ちに(ただちに) 바로, 곧 immediately 直す(なおす) 고치다 to fix 直る(なおる) 고쳐지다 to be fixed		

知	know, understand	チ	し(る)	알 (지)
	zhī	chi	shi(ru)	al (ji)
8画		知識 (ちしき) 지식 知识 [zhī·shi] knowledge 知る(しる) 알다 to know		

長 长	long, chief	チョウ	なが(い)	길 (장)
	cháng(long)z hǎng(old)	chou	naga(i)	gil (jang)
8画		長男 (ちょうなん) 장남 长男 [zhǎngnán] eldest son 長生き(ながいき) 장수 longevity 長い(ながい) 길다 long		

門 门	gate, door	モン	かど	문 (문)
	mén	mon	kado	moon (moon)
8画	専門 (せんもん) 전문 专门 [zhuānmén] major 門前 (もんぜん) 문전, 문 앞 in front of the gate			

思	think, consider	シ	おも(う)	생각할 (사)
	sī	shi	omo(u)	saenggakhal (sa)
9画	思考 (しこう) 사고 [sīkǎo] thinking 思想 (しそう) 사상 [sīxiǎng] thought 思う (おもう) 생각하다 think			

春	spring	シュン	はる	봄 (춘)
	chūn	shun	haru	bom (chun)
9画	春季 (しゅんき) 춘계 [chūnjì] spring season 春夏(しゅんか) 춘하 spring and summer 春 (はる) 봄 spring			

68

秋	autumn	シュウ	あき		가을 (추)
	qiū	shuu	aki		gaeul (chu)

		秋田 (あきた) 아키타 Akita prefecture
	9画	秋季 (しゅうき) 추계 [qiūjì] autumn season
		秋冬(しゅうとう) 추동 autumn and winter
		秋(あき) 가을 autumn

風 风	wind, style	フウ	かぜ/かざ		바람 (풍)
	fēng	fuu	kaze/kaza		baram (pung)

		風景 (ふうけい) 풍경 风景 [fēngjǐng] scenery
	9画	風呂 (ふろ) 목욕 bath
		風 (かぜ) 바람 wind

食	eat, food	ショク	た(べる)/く(う)		먹을 (식)
	shí	shoku	ta(beru)/ku(u)		meokeul (shik)

		食欲 (しょくよく) 식욕 [shíyù] appetite
	9画	食事 (しょくじ) 식사 meal
		食う(くう), 食る(たべる) 먹다 to eat

星	star, planet	セイ	ほし	별 (성)
	xīng	sei	hoshi	byeol (seong)
9画		星座 (せいざ) 성좌 [xīngzuò] constellation 衛星 (えいせい) 위성 satellite 星(ほし) 별 star		

活	active, alive	カツ	—	살 (활)
	huó	katsu	—	sal (hwal)
9画		活動 (かつどう) 활동 活动 [huó·dòng] activity 生活 (せいかつ) 생활 [shēnghuó] life 活力 (かつりょく) 활력 [huólì] vitality		

南	south	ナン	みなみ	남녘 (남)
	nán	nan	minami	namnyeol (nam)
9画		南側 (みなみがわ) 남측 south side 南極 (なんきょく) 남극 南极[nánjí] south pole 南 (みなみ) 남 south		

計 计	measure, plan	ケイ	はか(る)/はか(らう)	셀 (계)
	ji	kei	hakaru/hakarau	sel (gye)
	9画	計画 (けいかく) 계획 plan 計算 (けいさん) 계산 计算[jìsuàn] calculation 計る(はかる) 헤아리다, 재다 to measure 計らう(はからう) 적절히 조처하다, 봐주다 to take care		

室	room, chamber	シツ	—	집 (실)
	shì	shitsu	—	jib (shil)
	9画	教室 (きょうしつ) 교실 [jiàoshì] classroom 寝室 (しんしつ) 침실 [qǐnshì] bedroom 室内 (しつない) 실내 [shìnèi] inside room		

海 海 海	sea, ocean	カイ	うみ	바다 (해)
	hǎi	kai	umi	bada (hae)
	9画	海岸 (かいがん) 해안 海岸[hǎi'àn] coast 海外 (かいがい) 해외 海外[hǎiwài] overseas 海 (うみ) 바다 sea		

前	front, before	ゼン	まえ		앞 (전)
	qián	zen	mae		ap (jeon)
9画		前進 (ぜんしん) 전진 前进[qiánjìn] advance 前夜 (ぜんや) 전야 the night before, previous night 前 (まえ) 앞 front			

後 后	behind, after	ゴ/コウ	あと/うし(ろ)/のち		뒤 (후)
	hòu	go/kou	ato/ushi(ro)/nochi		dwi (hu)
9画		後半 (こうはん) 후반 latter half 午後 (ごご) 오후 午后[wǔhòu] afternoon 後回し (あとまわし) 뒤로 미룸 postponement 後退 (こうたい) 후퇴 retreat 後(あと) 뒤 later 後ろ(うしろ) 뒤 behind 後(のち) 나중 after			

茶	tea	チャ/サ	—		차 (다)
	chá	cha/sa	—		cha (da)
9画		茶色 (ちゃいろ) 갈색 brown 茶道 (さどう) 다도 tea ceremony			

昼	daytime, noon	チュウ	ひる		낮 (주)
	zhòu	chuu	hiru		nat (ju)

晝	9画	白昼 (はくちゅう) 백주, 대낮 [báizhòu] broad daylight 昼間 (ひるま) 낮 daytime 昼 (ひる) 낮 daytime

点	point, mark	テン	—	점 (점)
	diǎn	ten	—	jeom (jeom)

點	9画	頂点 (ちょうてん) 정점 頂点[dǐngdiǎn] peak 点数 (てんすう) 점수 score 点滴 (てんてき) 점적 drip

科	science, department	カ	—	과목 (과)
	kē	ka	—	gwamok (gwa)

	9画	科学 (かがく) 과학 [kēxué] science 科目 (かもく) 과목 subject

73

首	neck, head	シュ	くび		머리 (수)
	shǒu	shu	kubi		meori (su)
9画		首都 (しゅと) 수도 [shǒudū] capital city 首(くび) 목 neck			

高	high, tall	コウ	たか/たか(い)/ たか(める)/たか(まる)		높을 (고)
	gāo	kou	taka/taka(i)/taka(meru)/ taka(maru)		nopeul (go)
10画		高校 (こうこう) 고교 high school 高速 (こうそく) 고속 [gāosù] high-speed 高い(たかい) 높다 high 高まる(たかまる) 높아지다 to increase, heighten 高める(たかめる) 높이다 to raise, elevate			

家	house, home	カ/ケ	いえ/や		집 (가)
	jiā	ka/ke	ie/ya		jib (ga)
10画		家族 (かぞく) 가족 [jiāzú] family 家庭 (かてい) 가정 [jiātíng] household 本家 (ほんけ) 본가 the main family 家(いえ, や) 집 house, home			

74

夏	summer	カ	なつ	여름 (하)
	xià	ka	natsu	yeoreum (ha)
10 画	夏季 (かき) 하계 [xiàjì] summer season 夏休み (なつやすみ) 여름 방학 summer vacation 夏(なつ) 여름 summer			

原	field, plain	ゲン	はら	근원 (원)
	yuán	gen	hara	geunwon (won)
10 画	原因 (げんいん) 원인 [yuányīn] cause, reason 原理 (げんり) 원리 principle 原(はら) 들 field, plain			

帰 归	return	キ	かえ(る)/かえ(す)	돌아갈 (귀)
	guī	ki	kae(ru)/kae(su)	dolagal (gwi)
歸 10 画	帰国 (きこく) 귀국 归国 [guīguó] return to one's country 復帰 (ふっき) 복귀 复归[fùguī] return 帰る (かえる) 돌아가다 to return, go back 帰す(かえす) 돌려보내다 to return, send back			

弱	weak, frail	ジャク	よわ(い)/よわ(める)/よわ(まる)/よわ(る)	약할 (약)
	ruò	jaku	yowa(i)/yowa(meru)/yowa(maru)/yowa(ru)	yakhal (yak)

弱点 (じゃくてん) 약점 [ruòdiǎn] weak point
弱い(よわい) 약하다 weak
10画 弱める(よわめる) 약하게 하다 to weaken
弱まる(よわまる) 약해지다 become weak
弱る(よわる) 약해지다, 쇠약해지다 to weaken

通	pass, traffic	ツウ	とお(る)/とお(す)/かよ(う)	통할 (통)
	tōng	tsuu	too(ru)/too(su)/kayo(u)	tonghal (tong)

通学 (つうがく) 통학 [tōngxué] commuting to school
通信 (つうしん) 통신 [tōngxìn] communication
通常 (つうじょう) 통상 [tōngcháng] usually/normally
10画 通る(とおる) 통하다 to pass through
通す(とおす) 통하게 하다 to let pass
通う (かよう) 다니다, 왕래하다 to go (back and forth)

76

時 时	time, hour shí 10 画	ジ ji 時間 (じかん) 시간 时间[shíjiān] time 臨時 (りんじ) 임시 temporarily 時 (とき) 때 time, when	とき toki	때 (시) ddae (si)
書 书	write, document shū 10 画	ショ sho 書類 (しょるい) 서류 documents 書店 (しょてん) 서점 书店 [shūdiàn] bookstore 書く(かく) 쓰다 to write	か(く) ka(ku)	쓸 (서) sseul (seo)
馬 马	horse mǎ 10 画	バ ba 馬車 (ばしゃ) 마차 马车 [mǎchē] horse carriage 馬 (うま) 말 horse 馬鹿 (ばか) 바보 fool, idiot	うま/ま uma/ma	말 (마) mal (ma)

77

記 记	record, write down jì 10 画	キ ki	しる(す) shiru(su)	기록할 (기) girokhal (gi)
		記録 (きろく) 기록 记录 [jìlù] record 記事 (きじ) 기사 记事 [jìshì] article 記す(しるす) 적다, 새기다 to record		

紙 纸	paper zhǐ 10 画	シ shi	かみ kami	종이 (지) jongi (ji)
		新聞紙 (しんぶんし) 신문지 newspaper 紙幣 (しへい) 지폐 纸币 [zhǐbì] paper money 紙 (かみ) 종이 paper 紙袋 (かみぶくろ) 종이백 paper bag		

理	reason, logic lǐ 11 画	リ ri	― ―	다스릴 (리) daseuril (ri)
		理由 (りゆう) 이유 [lǐyóu] reason 理論 (りろん) 이론 理论 [lǐlùn] theory 整理 (せいり) 정리 [zhěnglǐ] arrangement		

78

魚	fish	ギョ	さかな/うお	물고기 (어)
魚	yú	gyo	sakana/uo	mulgogi (eo)
	11 画	魚介 (ぎょかい) 어개, 해산물 seafood 魚類 (ぎょるい) 어류 鱼类[yúlèi] fish 魚(さかな, うお) 물고기 fish		

鳥	bird	チョウ	とり	새 (조)
鸟	niǎo	chou	tori	sae (jo)
	11 画	鳥類 (ちょうるい) 조류 鸟类[niǎolèi] bird species 鳥 (とり) 새 bird		

週	week	シュウ	—	주일 (주)
周	zhōu	shuu	—	juil (ju)
週	11 画	今週 (こんしゅう) 금주 this week 週末 (しゅうまつ) 주말 周末[zhōumò] weekend		

教	teach, instruction	キョウ	おし(える)/おそ(わる)	가르칠 (교)
	jiào	kyou	oshi(eru)/oso(waru)	gareuchil (gyo)
教	11 画	教育 (きょういく) 교육 [jiàoyù] education 教える(おしえる) 가르치다 to teach 教わる(おそわる) 배우다 to learn		

強	strong, forceful	キョウ	つよ(い)/つよ(める)/つよ(まる)	강할 (강)
強	qiáng	kyou	tsuyo(i)/tsuyo(meru)/tsuyo(maru)	ganghal (gang)
強	11 画	強化 (きょうか) 강화 強化[qiánghuà] strengthening 強い(つよい) 강하다 strong 強める(つよめる) 강하게 하다 to intensify 強まる (つよまる) 강해지다 to strengthen		

細	thin, fine	サイ	ほそ(い)/ほそ(る)/こま(かい)/こま(か)	가늘 (세)
細	xì	sai	hoso(i)/hoso(ru)/koma(kai)/koma(ka)	ganeul (se)
	11 画	細菌 (さいきん) 세균 細菌[xìjūn] bacteria 細胞 (さいぼう) 세포 細胞[xìbāo] cell 細い(ほそい) 가늘다 thin 細る(ほそる) 가늘어지다 become thin, narrow 細かい(こまかい) 잘다, 작다 fine, detailed		

80

組 组	group, set	ソ	くみ/く(む)	짤 (조)
	zǔ	so	kumi/ku(mu)	kkeun (jo)

	11 画	組織 (そしき) 조직 组织[zǔzhī] organization 組む (くむ) 엇걸다, 끼다, 짝이 되다 to assemble 組(くみ) 조합 group

船	ship, boat	セン	ふね/ふな	배 (선)
	chuán	sen	fune/funa	bae (seon)

	11 画	船舶 (せんぱく) 선박 [chuánbó] maritime 船 (ふな) 배 ship 船旅 (ふなたび) 선편 여행 sea voyage

野	field, wilderness	ヤ	の	들 (야)
	yě	ya	no	deul (ya)

	11 画	野菜 (やさい) 야채 [yěcài] vegetables 野生 (やせい) 야생 [yěshēng] wild 野(の) 들판 field

81

雪	snow	セツ	ゆき	눈 (설)
	xuě	setsu	yuki	nun (seol)
11 画		雪 (ゆき) 눈 snow 大雪 (おおゆき) 대설 [dàxuě] heavy snow 蛍雪 (けいせつ) 형설 firefly snow		

黄	yellow, gold	オウ	き	누를 (황)
	huáng	ou	ki	nureul (hwang)
黄	11 画	黄色 (きいろ) 노란색, 황색 yellow 黄金 (おうごん) 황금 [huángjīn] gold		

黒	black, darkness	コク	くろ/くろ(い)	검을 (흑)
黑	hēi	koku	kuro/kuro(i)	geomeul (heuk)
黑	11 画	黒板 (こくばん) 흑판 黑板[hēibǎn] blackboard 黒白 (こくびゃく) 흑백 black and white 黒い(くろい) 어둡다 dark		

絵	picture, drawing	エ/カイ	—		그림 (회)
絵	huì	e/kai	—		geurim (hoe)

| 繪 | 12 画 | 絵画 (かいが) 회화 絵画 [huìhuà] painting
絵本 (えほん) 그림책 picture book | | | |

晴	clear up, clear weather	セイ	は(れる)/は(らす)		갤 (청)
	qíng	sei	ha(reru)/ha(rasu)		gael (cheong)

| | 12 画 | 晴天 (せいてん) 청천 [qíngtiān] clear weather
快晴 (かいせい) 쾌청 fine weather
晴れる(はれる) 개다, 날씨가 맑아지다 to become clear
晴らす(はらす) 풀다, 해소시키다 to relieve, dispel | | | |

朝	morning	チョウ	あさ		아침 (조)
	zhāo	chou	asa		achim (jo)

| | 12 画 | 朝食 (ちょうしょく) 조식 [zhāoshí] breakfast
朝 (あさ) 아침 morning | | | |

83

雲 云	cloud	ウン	くも		구름 (운)
	yún	un	kumo		gureum (un)
12画		風雲 (ふううん) 풍운 风云[fēngyún] wind and cloud 雲 (くも) 구름 cloud 雲間 (くもま) 구름사이 break in the clouds			

番	number, turn	バン	—		차례 (번)
	fān	ban	—		charye (beon)
12画		番組 (ばんぐみ) 텔레비전 프로그램 tv program 番号 (ばんごう) 번호 [fānhào] number			

道	road, path	ドウ	みち		길 (도)
	dào	dou	michi		gil (do)
12画		道路 (どうろ) 도로 [dàolù] road 道具 (どうぐ) 도구 tool 道 (みち) 길 way			

84

場 场	place, location	ジョウ	ば	마당 (장)
	chǎng	jou	ba	madang (jang)

	12 画	場内 (じょうない) 장내 inside the venue 場所 (ばしょ) 장소 场所[chǎngsuǒ] place

答	answer, reply	トウ	こた(え)/こた(える)	대답할 (답)
	dá	tou	kotae/kotae(ru)	daedaphal (dap)

	12 画	回答 (かいとう) 회답 [huídá] answer 答え (こたえ) 대답 answer 答える(こたえる) 대답하다 to answer

買 买	buy, purchase	バイ	か(う)	살 (매)
	mǎi	bai	kau	sal (mae)

	12 画	売買 (ばいばい) 매매 买卖[mǎi·mai] trading 買収 (ばいしゅう) 매수 buy 買い物 (かいもの) 쇼핑 shopping 買う(かう) 사다 to buy

間	interval, space	カン/ケン	あいだ/ま	사이 (간)
间	jiān	kan/ken	aida/ma	sai (gan)

	12画	時間 (じかん) 시간 时间 [shíjiān] time 世間 (せけん) 세간 世间 [shìjiān] society 間 (あいだ) 사이, 간격 interval 間違い (まちがい) 틀림 mistake

楽	enjoyable music	ラク/ガク	たの(しい)/たの(しむ)	노래 (악), 즐길 (락)
乐	lè	raku/gaku	tano(shii)/tano(shimu)	norae (ak)

樂	13画	音楽 (おんがく) 음악 音乐[yīnyuè] music 楽器 (がっき) 악기 乐器[yuèqì] musical instrument 楽しい(たのしい) 즐겁다 enjoyable 楽しむ(たのしむ) 즐기다 to enjoy

園	garden, park	エン	—	동산 (원)
园	yuán	en	—	dongsan (won)

	13画	公園 (こうえん) 공원 公园 [gōngyuán] park 園芸 (えんげい) 원예 园艺 [yuányì] gardening

86

歌	song, sing	カ	うた/うた(う)	노래 가
	gē	ka	uta/uta(u)	norae (ga)

14 画	歌手 (かしゅ) 가수 [gēshǒu] singer
	歌 (うた) 노래 song
	歌う (うたう) 노래하다 sing

遠 远	distant, far	エン	とお(い)	멀 (원)
	yuǎn	en	tooi	meol (won)

13 画	永遠 (えいえん) 영원 永远[yǒngyuǎn] eternity
	遠足 (えんそく) 소풍 field trip
	遠い(とおい) 멀다 far

数	number, count	スウ	かず/かぞ(える)	셈 (수)
	shù	suu	kazu/kazo(eru)	sem (su)

數 13 画	数学 (すうがく) 수학 [shùxué] mathematics
	数 (かず) 수 number
	数える(かぞえる) 세다, 셈하다 to count

話 话 huà 13 画	talk, conversation	ワ wa	はなし/はな(す) hanashi/hana(su)	말할 (화) malhal (hwa)
	会話 (かいわ) 회화 会话 [huìhuà] conversation 話題 (わだい) 화제 话题 [huàtí] topic 話 (はなし) 이야기 story 話す(はなす) 말하다 to speak			

電 电 diàn 13 画	electric, electricity	デン den	— —	번개 (전) beongae (jeon)
	電話 (でんわ) 전화 电话 [diànhuà] telephone 電車 (でんしゃ) 전차 电车 [diànchē] train			

新 xīn 13 画	new, fresh	シン shin	あたら(しい)/あら(た)/ にい atara(shii)/ara(ta)/nii	새 (신) sae (shin)
	新聞 (しんぶん) 신문 新闻[xīnwén] newspaper 新鮮 (しんせん) 신선 fresh 新しい (あたらしい) 새롭다 new 新た(あらた) 새로움 newness			

聞 闻	hear, ask wén 14 画	ブン/ モン bun	き(く)/き(こえる) ki(ku)/ki(koeru)	들을 (문) deureul (mun)
		見聞 (けんもん) 견문 见闻[jiànwén] knowledge, experience 聞き取り(ききとり) 듣기 listening 聞く (きく) 듣다 to hear, listen 聞こえる (きこえる) 들려오다 to be heard		
語 语	language speech yǔ 14 画	ゴ go	かた(る)/かた(らう) kata(ru)/kata(rau)	말씀 (어) malsseum (eo)
		言語 (げんご) 언어 言语 [yányǔ] language 語学 (ごがく) 어학 linguistics 語る(かたる) 말하다, 이야기하다 to talk 語らう(かたらう) 이야기를 주고받다 to converse		
算	calculatenu mber suàn 14 画	サン san	— —	셀 (산) sel (san)
		計算 (けいさん) 계산 计算[jìsuàn] calculation 算数 (さんすう) 산수 arithmetic 予算 (よさん) 예산 budget		

読	read, reading	ドク/トク/トウ	よ(む)	읽을 (독)
读	dú	doku/toku/tou	yo(mu)	igeul (dok)
讀	14 画	句読点 (くとうてん) 구두점 punctuation mark 読本 (とくほん) 독본 reading book 読書 (どくしょ) 독서 读书[dúshū] reading 読む(よむ) 읽다 to read		

鳴	whine, chirp	メイ	な(る)/な(く)/な(らす)	울 (명)
鸣	míng	mei	naru/naku/narasu	ul (myeong)
	14 画	悲鳴 (ひめい) 비명 悲鸣[bēimíng] scream 共鳴 (きょうめい) 공명 共鸣[gòngmíng] resonance 鳴る(なる) 울리다, 소리가 나다 to ring, sound 鳴く(なく) 울다 to cry, chirp 鳴らす(ならす) 소리를 내다, 울리다 to make sound		

線	line, wire	セン	—	줄 (선)
线	xiàn	sen	—	jul (seon)
	15 画	線路 (せんろ) 선로 线路 [xiànlù] railroad 光線 (こうせん) 광선 ray		

頭 头	head, top	トウ/ズ	あたま / かしら	머리 (두)
	tóu	tou/zu	atama	meori (du)

	16 画	頭痛 (ずつう) 두통 头痛[tóutòng] headache 先頭 (せんとう) 선두 the lead 到頭 (とうとう) 드디어 finally 頭 (あたま) 머리 head 頭 (かしら) 머리, 두목 head, boss

親 亲	parent, relative	シン	おや/した(しい)/ した(しむ)	친할 (친)
	qīn	shin	oya/shita(shii)/ shita(shimu)	chinhal (chin)

	16 画	親族 (しんぞく) 친족 亲族[qīnzú] relative 親 (おや) 부모 parent 親子 (おやこ) 부모와 자식 parent and child 親友 (しんゆう) 친우 close friend 親しい(したしい) 친하다 affectionate, close 親しむ(したしむ) 친하게 지내다 to become close, get intimate

曜	weekday shine	ヨウ	—	빛날 (요)
	yào	you	—	bitnal (yo)
曜	18画	曜日 (ようび) 요일 day of the week		

顔	face, expression	ガン	かお	낯 (안)
顔	yán	gan	kao	nat (an)
顔	18画	笑顔 (えがお) 웃는 얼굴 smiling face 顔料 (がんりょう) 안료 颜料[yánliào] pigment 顔 (かお) 얼굴 face 顔色 (かおいろ) 얼굴 색 facial expression		

92

丁	ward, man	チョウ/ テイ	—	고무래, 장정 (정)
	dīng	chou/tei	—	gomurae (jeong)
	2画	壮丁 (そうてい) 장정 [zhuàngdīng] strong young man 丁寧 (ていねい) 친절함, 정중함 polite, courteous		

予	beforehand, in advance	ヨ	—	나 (여)/ 미리(예)
	yù	yo	—	na (yeo)/ miri(ye)
豫	4画	予想 (よそう) 예상 [yùxiǎng] expectation 予約 (よやく) 예약 [yùyuē] reservation 予定 (よてい) 예정 [yùdìng] plan, schedule		

反	reverse, oppose	ハン	そ(る)	되돌릴 (반)
	fǎn	han	so(ru)	doedolril (ban)
	4画	反対 (はんたい) 반대 [fǎnduì] opposition, resistance 反射 (はんしゃ) 반사 [fǎnshè] reflection 反る(そる) 휘다, 젖혀지다 to bent		

94

化	change, transform	カ	ば(ける)/ば(かす)	될 (화)
	huà	ka	ba(keru)/ba(kasu)	doel (hwa)
	4 画	変化 (へんか) 변화 [biànhuà] change 化学 (かがく) 화학 [huàxué] chemistry 文化 (ぶんか) 문화 [wénhuà] culture 化石 (かせき) 화석 [huàshí] fossil 化ける(ばける) 둔갑하다 to disguise 化かす(ばかす) 속이다 to deceive		

区	district, ward, zone	ク	—	구분할/ 지경 (구)
	qū	ku	—	gubunhal / jigyeong (gu)
區	4 画	地区 (ちく) 지구 [dìqū] district 区域 (くいき) 구역 [qūyù] area 区切り (くぎり) 단락 boundary, division		

礼	courtesy, etiquette, bow	レイ	—	예도 (례)
	lǐ	rei	—	yedo (rye)
禮	5 画	礼儀 (れいぎ) 예의 [lǐyí] manners 礼節 (れいせつ) 예절 [lǐjié] courtesy		

由	reason, cause	ユ/ユウ —		말미암을 (유)
	yóu	yu/yuu —		malmiameul (yu)
	5画	由来 (ゆらい) 유래 [yóulái] origin 自由 (じゆう) 자유 [zìyóu] freedom		

代	generation era, substitute	ダイ/タイ か(わる)/か(える)/よ		대신할 (대)
	dài	dai/tai ka(waru)/ka(eru)/yo		daesinhal (dae)
	5画	代表 (だいひょう) 대표 [dàibiǎo] representative 代用 (だいよう) 대용 [dàiyòng] substitute, alternative 交代 (こうたい) 교대 rotation 代(わ)る(かわる) 대리하다, 대표하다 to represent 代える(かえる) 대신하다, 대리하게 하다 to substitute for / 代(よ) 세상 world, society		

打	hit, strike	ダ う(つ)		칠 (타)
	dǎ	da u(tsu)		chil (ta)
	5画	打撃 (だげき) 타격 打击[dǎjī] blow, strike 打開 (だかい) 타개 overcome 打者 (だしゃ) 타자 hitter 打つ (うつ) 때리다 hit, strike		

平	flat, level, even	ヘイ/ビョウ	ひら/たい(ら)	평평할 (평)
	píng	hei/byou	hira/tai(ra)	pyeong pyeonghal (pyeong)
5 画		平和 (へいわ) 평화 [hépíng] peace 平等 (びょうどう) 평등 [píngděng] equality 平ら(たいら) 평평함, 평탄함 flat, level 平(ひら) 평평한 것, 보통 even		

氷 冰	ice	ヒョウ	こおり	얼음 (빙)
	bīng	hyou	koori	eoreum (bing)
5 画		氷河 (ひょうが) 빙하 [bīnghé] glacier 氷 (こおり)얼음 ice 氷水 (こおりみず) 빙수 ice water		

皮	skin	ヒ	かわ	가죽 (피)
	pí	hi	kawa	gajuk (pi)
5 画		皮膚 (ひふ) 피부 皮肤[pífū] skin 皮 (かわ) 가죽 leather		

97

他	other, another	タ	ほか	다를 (타)
	tā	ta	hoka	dareul (ta)
5画	他人 (たにん) 타인 [tārén] other people 他地 (たち) 타지 other region 他 (ほか) 다른 것, 딴 것 other, another			

世	world, society	セ/セイ	よ	세상 (세)
	shì	se/sei	yo	sesang (se)
5画	世界 (せかい) 세계 [shìjiè] world 現世 (げんせ) 현세 现世[xiànshì] this life 近世 (きんせい) 근세 modern times 世 (よ) 세상, 사회 world, society			

申	say, monkey	シン	もう(す)	납 (신)
	shēn	—	mou(su)	nap (shin)
5画	申請 (しんせい) 신청 [shēnqǐng] application 申告 (しんこく) 신고 [shēngào] declaration 申す(もうす) 말하다(겸양) to speak (honorific) 申し込む (もうしこむ) 신청하다 to apply			

| 主 | main, master, owner | シュ | おも/ぬし | 주인 (주) |
| | zhǔ | shu | omo/nushi | juin (ju) |

	5画	主人 (しゅじん) 주인 [zhǔ·rén] owner, master
		主要 (しゅよう) 주요 [zhǔyào] major, main
		主(おも) 주됨, 주요함 primary
		主(ぬし) 주인, 임자 host, owner

| 写 | copy, photograph | シャ | うつ(す)/うつ(る) | 베낄 (사) |
| | xiě | sha | utsu(su)/utsu(ru) | baekil (sa) |

寫	5画	複写 (ふくしゃ) 복사 复写[fùxiě] copy
		写真 (しゃしん) 사진 photograph
		描写 (びょうしゃ) 묘사 description
		写本 (しゃほん) 사본 copy
		写す(うつす) 베끼다, 본뜨다 to copy, transcribe
		写る(うつる) 사진에 찍히다 to be photographed, appear in a photo

仕	serve, do	シ	つか(える)	섬길 (사)
	shì	shi	tsukae(ru)	byeoseulhal (sa)
5画		仕事 (しごと) 일 work 奉仕 (ほうし) 봉사 service 仕える(つかえる) 시중들다, 섬기다 to serve		

皿	dish, plate	—	さら	그릇 (명)
	mǐn	—	sara	geureut (myeong)
5画		皿 (さら) 접시 dish, plate 皿洗い (さらあらい) 접시 닦는일 dishwashing		

号	number, signal, symbol	ゴウ	—	이름 (호)
	hào	gou	—	ireum (ho)
號	5画	号外 (ごうがい) 호외 [hàowài] extra edition 信号 (しんごう) 신호 [xìnhào] signal 号 (ごう) 아호 pen name		

100

去	go, leave	キョ/コ	さ(る)	갈 (거)
	qù	kyo/ko	sa(ru)	gal (geo)
5 画		去年 (きょねん) 작년 last year 過去 (かこ) 과거 [guòqù] past 去る (さる) 떠나다 to leave		

央	center, middle	オウ	—	가운데 (앙)
	yāng	ou	—	gaunde (ang)
5 画		中央 (ちゅうおう) 중앙 [zhōngyāng] center, central 震央 (しんおう) 진앙 epicentre		

列	row, line	レツ	—	벌일 (렬)
	liè	retsu	—	beoril (ryeol)
6 画		序列 (じょれつ) 서열 [xùliè] rank 一列 (いちれつ) 일렬 line, row 列車 (れっしゃ) 열차 列车[lièchē] train		

両	both, mutual, two	リョウ	—	두 (량)
两	liǎng	ryou	—	du (lyang)
兩	6画	両親 (りょうしん) 양친 parents 両方 (りょうほう) 양방 両方[liǎngfāng] both sides		

羊	sheep	ヨウ	ひつじ	양 (양)
	yáng	you	hitsuji	yang (yang)
	6画	羊毛 (ようもう) 양모 [yángmáo] wool 羊肉 (ようにく) 양고기 mutton 羊 (ひつじ) 양 sheep		

州	state, province	シュウ	—	고을 (주)
	zhōu	shuu	—	goeul (ju)
	6画	州 (しゅう) 주 state, province 州立 (しゅうりつ) 주립 state-owned		

守	protect, defend	シュ/ス	まも(る)		지킬 (수)
	shǒu	shu/su	mamo(ru)		jikil (su)
6画		保守 (ほしゅ) 보수 [bǎoshǒu] conservative 守備 (しゅび) 수비 守备[shǒubèi] defense 留守 (るす) 부재중 absence 守る (まもる) 지키다 to protect			

有	have, possess, exist	ユウ	あ(る)		있을 (유)
	yǒu	yu	a(ru)		isseul (yu)
6画		有名 (ゆうめい) 유명 [yǒumíng] famous 有効 (ゆうこう) 유효 [yǒuxiào] valid 有る (ある) 있다 to exist, be			

全	whole, entire	ゼン	すべ(て)/まった(く)		온전할 (전)
	quán	zen	subete/mattaku		onjeonhal (jeon)
6画		全体 (ぜんたい) 전체 [quántǐ] whole 全部 (ぜんぶ) 전부 [quánbù] all 全て(すべて) 모두, 전부 all 全く(まったく) 완전히, 아주 totally			

式	style, form, ceremony	シキ	—	법 (식)
	shì	shiki	—	beop (sik)

6画	儀式 (ぎしき) 의식 ceremony 形式 (けいしき) 형식 [xíngshì] form 公式 (こうしき) 공식 [gōngshì] formula, official

次	next, order, sequence	ジ	つぎ/つ(ぐ)	버금 (차)
	cì	ji	tsugi/tsu(gu)	beogeum (cha)

6画	次回 (じかい) 차회 next time 次 (つぎ) 다음 next 次ぐ(つぐ) 뒤를 잇다 to succeed

死	death	シ	し(ぬ)	죽을 (사)
	sǐ	shi	shi(nu)	jugeul (sa)

6画	死亡 (しぼう) 사망 [sǐwáng] death 生死 (せいし) 생사 [shēngsǐ] life and death 死ぬ (しぬ) 죽다 to die

向	direction, way, to face	コウ	む(かう)/む(ける)/む(く)/ む(こう)	향할 (향)
	xiàng	kou	muka(u)/mu(keru)/mu(ku)/ mu(kou)	hyanghal (hyang)
	6画	向上 (こうじょう) 향상 [xiàngshàng] improvement 傾向 (けいこう) 경향 [qīngxiàng] tendency 向かう(むかう) 향하다, 면하다 to head toward, face 向ける(むける) 향하게 하다, 향하다 to aim at 向く(むく) 향하다 to turn towards, face 向こう (むこう) 반대편 opposite side, other side			
血	blood	ケツ	ち	피 (혈)
	xiě, xuè	ketsu	chi	pi (hyeol)
	6画	血液 (けつえき) 혈액 [xuèyè] blood 血(ち) 피 blood			
曲	curve, bend, tune	キョク	ま(がる)/ま(げる)	굽을 (곡)
	qū	kyoku	ma(garu)/ma(geru)	gubeul (gok)
	6画	曲線 (きょくせん) 곡선 曲线[qūxiàn] curve 曲げる (まげる) 구부리다 to bend 曲(が)る(まがる) 구부러지다, 굽다 to curve			

105

安	peace, cheap, low	アン	やす(い)	편안할 (안)
	ān	an	yasu(i)	pyeonanhal (an)
6画		安心 (あんしん) 안심 relief 安全 (あんぜん) 안전 [ānquán] safety 安い (やすい) 싸다 cheap		

役	duty, service, role	ヤク/ エキ	—	부릴 (역)
	yì	yaku	—	buril (yeok)
7画		現役 (げんえき) 현역 現役[xiànyì] active-duty soldier 役割 (やくわり) 역할 role 役に立つ (やくにたつ) 쓸모가 있다 to be useful, be helpful		

返	return, revert	ヘン	かえ(す)/かえ(る)	돌이킬 (반)
	fǎn	hen	kae(su)/kae(ru)	doleekil (ban)
7画		返事 (へんじ) 대답 reply 返る(かえる) 뒤바뀌다, 되돌아가다 to revert 返す(かえす) 되돌리다 to return		

豆	bean	トウ/ズ	まめ		콩 (두)
	dòu	tou/zu	mame		kong (du)
7 画		大豆 (だいず) 대두 soybean 豆腐 (とうふ) 두부 [dòu·fu] tofu 豆 (まめ) 콩 bean			

投	throw, invest	トウ	な(げる)		던질 (투)
	tóu	tou	na(geru)		deonjil (tu)
7 画		投票 (とうひょう) 투표 [tóupiào] voting 投入 (とうにゅう) 투입 [tóurù] insert 投げる(なげる) 던지다 to throw			

对	opposite, versus, to face	タイ	—		대할 (대)
对	duì	tai	—		daehal (dae)
對	7 画	応対 (おうたい) 응대 应对[yìngduì] response 対立 (たいりつ) 대립 对立[duìlì] confrontation 反対 (はんたい) 반대 反对[fǎnduì] opposite, opposition 対話 (たいわ) 대화 对话[duìhuà] dialogue			

107

身	body, oneself	シン	み		몸 (신)
	shēn	shin	mi		mom (shin)

7画	身体 (しんたい, からだ) 신체 [shēntǐ] body 身長 (しんちょう) 신장 身长[shēncháng] height 身(み) 몸 body

助	help, rescue	ジョ	たす(ける)/たす(かる)	도울 (조)
	zhù	jo	tasuke(ru)/tasuka(ru)	doul (jo)

7画	救助 (きゅうじょ) 구조 [jiùzhù] rescue 援助 (えんじょ) 원조 aid 助かる(たすかる) 살아나다 to be saved 助ける (たすける) 구조하다 to help

君	you, lord, mister	クン	きみ	임금 (군)
	jūn	kun	kimi	imgeum (gun)

7画	君主 (くんしゅ) 군주 [jūnzhǔ] monarch 君 (きみ) 그대, 너 you

局	office, bureau	キョク	ー		판 (국)
	jú	kyoku	ー		pan (guk)

7画	局面 (きょくめん) 국면 [júmiàn] phase
	局 (きょく) 국 bureau, office, phase
	薬局 (やっきょく) 약국 pharmacy

究	research, study, investigate	キュウ	きわ(める)		궁구할 (구)
	jiū	kyu	kiwameru		gungguhal (gu)

7画	研究 (けんきゅう) 연구 [yánjiū] research
	探究 (たんきゅう) 탐구 [tànjiū] study
	究める(きわめる) 궁구하다, 연구하다 to research

住	dwell, reside, live	ジュウ	す(む)/す(まう)		살 (주)
	zhù	ju	su(mu)/su(mau)		sal (ju)

7画	住宅 (じゅうたく) 주택 [zhùzhái] housing
	住所(じゅうしょ) 주소 [zhùsuǒ] address
	住まう(すまう) 살고 있다 to reside
	住む (すむ) 살다 to live

坂	slope, hill	―	さか	고개 (판)
	bǎn	―	saka	gogae (pan)
	7 画	坂 (さか) 고개 slope, hill 坂道 (さかみち) 비탈길 slope		

決	decide, determine	ケツ	き(める)/き(まる)	결단할 (결)
決	jué	ketsu	ki(meru)/ki(maru)	gyeoldanhal (gyeol)
	7 画	決定 (けってい) 결정 [juédìng] decision 解決 (かいけつ) 해결 [jiějué] solution 決める (きめる) 정하다 to decide 決まる (きまる) 정해지다 to be decided		

医	medicine, doctor	イ	―	의원 (의)
	yī	i	―	uiwon (ui)
醫	7 画	医学 (いがく) 의학 [yīxué] medical science 医者 (いしゃ) 의사 doctor, physician		

和	harmony, peace	ワ	—		화할 (화)
	hé	wa	—		hwahal (hwa)
8 画		不和 (ふわ) 불화 [bùhé] discord 和食 (わしょく) 화식, 일식 Japanese food 和風 (わふう) 화풍, 일본풍 Japanese style			

油	oil	ユ	あぶら		기름 (유)
	yóu	yu	abura		gireum (yu)
8 画		油田 (ゆでん) 유전 [yóutián] oilfield 醬油 (しょうゆ) 간장 soy sauce 油断 (ゆだん) 방심, 부주의 carelessness 油 (あぶら) 기름 oil			

命	fate, life, destiny	メイ	いのち		목숨 (명)
	mìng	mei	inochi		moksum (myeong)
8 画		人命 (じんめい) 인명 [rénmìng] human life 命 (いのち) 목숨 life			

味	taste, flavor	ミ	あじ/あじ(わう)	맛 (미)
	wèi	mi	aji/aji(wau)	mat (mi)

	8 画	味覚 (みかく) 미각 味觉[wèijué] sense of taste 味 (あじ) 맛 flavor, taste 味わう(あじわう) 맛보다 to taste

放	release, set free, let go	ホウ	はな(す)/はな(れる)/ はな(つ)/ほう(る)	놓을 (방)
	fàng	hou	hana(su)/hana(reru)/ hana(tsu)/hou(ru)	noheul (bang)

	8 画	解放 (かいほう) 해방 [jiěfàng] liberation 放送 (ほうそう) 방송 broadcast 放れる (はなれる) 놓이다, 풀리다, 발사되다 　to be released 放す (はなす) 풀어 놓다 to release, set free 放つ (はなつ) 놓아주다, 보내다 to let go, send off 放る (ほうる) 멀리 내던지다 to cast off, throw far away

物	thing, object	ブツ/モツ	もの		만물 (물)
	wù	butsu/motsu	mono		manmul (mul)
	8画	動物 (どうぶつ) 동물 动物[dòngwù] animal 荷物 (にもつ) 짐, 화물 cargo, luggage 物 (もの) 것, 물건 thing, object 物語 (ものがたり) 이야기 story			

服	clothes, clothing	フク	—		옷 (복)
	fú	fuku	—		ot (bok)
	8画	服 (ふく) 옷 clothes 服装 (ふくそう) 복장 [fúzhuāng] clothing 制服 (せいふく) 제복 uniform			

注	note, pour, fill	チュウ	そそ(ぐ)		물댈 (주)
	zhù	chuu	soso(gu)		muldael (ju)
	8画	注射 (ちゅうしゃ) 주사 [zhùshè] shot 注文 (ちゅうもん) 주문 order 注油 (ちゅうゆ) 주유 refueling 注ぐ (そそぐ) 흘러 들어가다, 쏟다 to pour, fill			

113

昔	past, old times	セキ	むかし		옛 (석)
	xī	seki	mukashi		yet (seok)

8画

昔 (むかし) 옛날 the past, old times
昔年 (せきねん) 석년 [xīnián] last year, ancient time
昔話 (むかしばなし) 옛날 이야기 folk tale

所	place, location	ショ	ところ		바 (소)
	suǒ	sho	tokoro		ba (so)

8画

所在 (しょざい) 소재 [suǒzài] whereabouts
所有 (しょゆう) 소유 [suǒyǒu] ownership
所感 (しょかん) 소감 thoughts
所 (ところ) 곳, 장소 place

表	surface, table, chart	ヒョウ	おもて/あらわ(す)/あらわ(れる)		겉 (표)
	biǎo	hyou	omote/arawa(su)/arawa(reru)		geot (pyo)

8画

表現 (ひょうげん) 표현 表现[biǎoxiàn] expression
表示 (ひょうじ) 표시 [biǎoshì] display, expression
表(おもて) 표면 surface
表わす(あらわす) 나타내다 to express, show
現われる(あらわれる) 나타나다 to appear

板	board, plank	バン/ハン　いた	널빤지 (판)
	bǎn	ban/han　ita	neolppanji (pan)
8画		黒板 (こくばん) 흑판 黑板[hēibǎn] blackboard 板画 (はんが) 판화 [bǎnhuà] engraving 板 (いた) 판자 board, plank	

波	wave	ハ　　なみ	물결 (파)
	bō	ha　　nami	mulgyeol (pa)
8画		波動 (はどう) 파동 波动[bōdòng] wave motion 波濤 (はとう), 波 (なみ) 파도 wave	

定	fixed, settled, determine	テイ/ジョウ　　さだ(まる)/さだ(める)	정할 (정)
	dìng	tei/jou　　sada(maru)/sada(meru)	jeonghal (jeong)
8画		決定 (けってい) 결정 [juédìng]decision 定期 (ていき) 정기 [dìngqī] regular, fixed period 勘定 (かんじょう) 계산 bill, check 定まる (さだまる) 정해지다 to be determined 定める (さだめる) 정하다 to determine	

115

受	receive, accept	ジュ	う(かる)/う(ける)	받을 (수)
	shòu	ju	u(karu)/u(keru)	badeul (su)

8画	受領 (じゅりょう) 수령 receive
	受用 (じゅよう) 수용 [shōuyòng] accept
	受ける (うける) 받다 to receive
	受かる (うかる) 붙다, 합격하다 to pass (an exam)

取	take, obtain, acquire	シュ	と(る)	취할 (취)
	qǔ	shu	to(ru)	chwihal (chwi)

8画	取得 (しゅとく) 취득 [qǔdé] acquisition
	取材 (しゅざい) 취재 [qǔcái] collect news
	取る (とる) 잡다 to take

者	person, someone	シャ	もの	놈 (자)
	zhě	sha	mono	nom (ja)

8画	学者 (がくしゃ) 학자 [xuézhě] scholar
	若者 (わかもの) 젊은이 young man
	者(もの) 자, 사람 one, individual

実 实 實	reality, truth, actuality shí 8画	ジツ jitsu	み/みの(る) mi/minoru	열매 (실) yeolmae(sil)
		実力 (じつりょく) 실력 实力[shílì] skill 実際 (じっさい) 실제 实际[shíjì] reality 真実 (しんじつ) 진실 truth, 実(み) 열매 fruit 実る (みのる) 열매 맺다 to bear fruit		

事	thing, matter, affair shì 8画	ジ ji	こと koto	일 (사) il (sa)
		事件 (じけん) 사건 [shìjiàn] incident 事実 (じじつ) 사실 [shìshí] fact 用事 (ようじ) 볼일 appointment, errand 事 (こと) 일, 것 thing, matter		

始	begin, start shǐ 8画	シ shi	はじ(まる)/はじ(める) haji(maru)/haji(meru)	처음 (시) cheoeum (si)
		開始 (かいし) 개시 开始[kāishǐ] start 始終 (しじゅう) 시종 始终[shǐzhōng] from beginning to end 始まる (はじまる) 시작되다, 기인하다 to begin (intransitive verb) 始める(はじめる) 시작하다 to start (transitive verb)		

117

使	use, utilize	シ	つか(う)	시킬 (사)
	shǐ	shi	tsuka(u)	sikil (sa)
8画		使用 (しよう) 사용 [shǐyòng] use 使命 (しめい) 사명 [shǐmìng] mission 使う(つかう) 쓰다 to use		

幸	happiness, fortune, luck	コウ	しあわ(せ)/さいわ(い)	다행 (행)
	xìng	kou	shiawa(se)/saiwai	dahaeng (haeng)
8画		幸運 (こううん) 행운 幸运[xìngyùn] luck, fortune 幸福 (こうふく) 행복 [xìngfú] happiness 幸せ(しあわせ) 행복, 운이 좋음 happiness, good fortune 幸い(さいわい) 다행, 다행히 fortunately		

具	tool, utensil	グ	—	갖출 (구)
	jù	gu	—	gajchul (gu)
8画		道具 (どうぐ) 도구 tool 家具 (かぐ) 가구 [jiā·ju] furniture 具体 (ぐたい) 구체 concrete, specific 具合 (ぐあい) 형편, 상태 condition, state		

118

苦	suffering, hardship	ク	く る(し い)/く る(し む)/ く る(し め る)/に が(い)/ に が(る)	쓸 (고)
	kǔ	ku	kuru(shii)/kuru(shimu)/kuru (shimeru)/nigai/nigaru	sseul (go)
8 画		苦労 (くろう) 노고, 고생 hardship 苦痛 (くつう) 고통 [kǔtòng] pain 苦しい (くるしい) 괴롭다 painful, difficult 苦い (にがい) 쓰다 bitter 苦しむ (くるしむ) 괴로워하다 to be in pain, suffer 苦しめる (くるしめる) 괴롭히다 to torment, distress 苦る (にがる) 찌푸린 얼굴을 하다 to make a bitter face		

岸	shore, bank	ガン	きし	언덕 (안)
	àn	gan	kishi	eondeok (an)
8 画		海岸 (かいがん) 해안 [hǎi'àn] coast 沿岸 (えんがん) 연안 [yán'àn] shore 岸 (きし) 물가, 벼랑 coast, shore		

泳	swim	エイ	およ(ぐ)	헤엄칠 (영)
	yǒng	ei	oyo(gu)	heeomchil (yeong)
8 画		水泳 (すいえい) 수영 [shuǐyǒng] swim 泳ぐ (およぐ) 수영하다 to swim		

119

育	raise, rear, bring up	イク	そだ(つ)/そだ(てる)/ はぐく(む)	기를 (육)
	yù	iku	soda(tsu)/soda(teru)/ haguku(mu)	gireul (yuk)

育児 (いくじ) 육아 childcare

教育 (きょういく) 교육 [jiàoyù] education

8画   育てる(そだてる) 키우다, 양성하다 to raise, nurture

育つ(そだつ) 자라다

育む(はぐくむ) (새끼를 품어) 기르다 to foster

委	committee entrust	イ	ゆだ(ねる)	맡길 (위)
	wěi	i	yuda(neru)	matgil (wi)

委託 (いたく) 위탁 委托[wěituō] entrustment

8画   委員 (いいん) 위원 委员[wěiyuán] committee member

委ねる(ゆだねる) 맡기다, 위임하다 to entrust

洋	ocean, foreign	ヨウ	—	바다 (양)
	yáng	you	—	bada (yang)

洋服 (ようふく) 양복 western-style clothes

9画   西洋 (せいよう) 서양 [xīyáng] the West

東洋 (とうよう) 동양 the East

面	face, surface	メン	おも/おもて/つら	낯 (면)
	miàn	men	—	nat (myeon)

面倒 (めんどう) 번거로움, 성가심 bother
場面 (ばめん) 장면 场面[chǎngmiàn] scene
9画 表面 (ひょうめん) 표면 [biǎomiàn] surface, aspect
面(おも, おもて) 면, 얼굴 surface
面白い (おもしろい) 재미있다 interesting

負 负	negative, minus, bear	フ	ま(ける)/ま(かす)/お(う)	질 (부)
	fù	fu	make(ru)/make(kasu)/o(u)	jil (bu)

負担 (ふたん) 부담 负担[fùdān] burden
負傷 (ふしょう) 부상 injury
9画 負かす(まかす) 지게 하다 to defeat
負ける(まける) 지다, 패하다 to lose, be defeated
負う(おう) 지다, 짊어지다 to bear

品	item, goods, product	ヒン	しな	물건 (품)
	pǐn	hin	shina	mulgeon (pum)

商品 (しょうひん) 상품 [shāngpǐn] product
9画 品質 (ひんしつ) 품질 品质[pǐnzhì] quality
品(しな) 물건, 물품 goods

121

秒	second	ビョウ	—	초 (초)
	miǎo	byou	—	cho (cho)

9画

秒 (びょう) 초 second
秒速 (びょうそく) 초속 per second

追	chase, follow	ツイ	お(う)	쫓을 (추)
	zhuī	tsui	o(u)	jjoteul (chu)

9画

追求 (ついきゅう) 추구 [zhuīqiú] pursuit
追加 (ついか) 추가 [zhuījiā] addition
追憶 (ついおく) 추억 追忆 [zhuīyì] memory
追う (おう) 쫓다, 뒤쫓다 to chase

柱	pillar, column	チュウ	はしら	기둥 (주)
	zhù	chuu	hashira	gidung (ju)

9画

電柱 (でんちゅう) 전주, 전봇대 utility pole
柱 (はしら) 기둥, 막대기 pillar, column

炭	charcoal, coal	タン	すみ		숯 (탄)
	tàn	tan	sumi		sut (tan)

9画

炭酸 (たんさん) 탄산 carbonic acid
炭鉱 (たんこう) 탄광 coal mine
炭 (すみ) 숯 charcoal

待	wait, expect	タイ	ま(つ)		기다릴 (대)
	dài	tai	matsu		gidaril (dae)

9画

期待 (きたい) 기대 [qīdài] expectation
招待 (しょうたい) 초대 [zhāodài] invitation
待つ (まつ) 기다리다 to wait

送	send, deliver	ソウ/ ショウ	おく(る)		보낼 (송)
	sòng	sou	okuru		bonael (song)

9画

放送 (ほうそう) 방송 broadcast
輸送 (ゆそう) 수송 [shūsòng] transport
送る (おくる) 보내다 to send

相	mutual, each other	ソウ	あい	서로 (상)
	xiàng	sou	ai	seoro (sang)

9画	首相 (しゅしょう) 수상 [shǒuxiàng] prime minister 相談 (そうだん) 상담 discussion 相当 (そうとう) 상당, 상당히 considerable 相手 (あいて) 상대 partner

美	beauty	ビ	うつく(しい)	아름다울 (미)
	měi	bi	utsuku(shii)	areumdaul (mi)

9画	美術 (びじゅつ) 미술 美术[měishù] fine arts 美人 (びじん) 미인 beautiful person 美しい (うつくしい) 아름답다 beautiful

発 发	departure, emit, start	ハツ	—	필 (발)
	fā	hatsu	—	pil (bal)

發	9画	発表 (はっぴょう) 발표 发表[fābiǎo] announcement 発見 (はっけん) 발견 发现[fāxiàn] discovery, revelation

畑	field, farm	—	はたけ/はた	화전 (전)
	tián	—	hatake/hata	hwajeon (jeon)

9画　畑 (はたけ, はた) 밭, 농지 field, farmland

度	degree, extent	ド	たび	법도 (도)
	dù	do	—	beobdo (do)

9画

温度 (おんど) 온도 [wēndù] temperature
態度 (たいど) 태도 态度[tài·du] attitude
度合い (どあい) 정도 degree, extent
度(たび) 때, 번, 적 time, occasion

神	god, deity	シン/ジン　かみ		귀신 (신)
	shén	shin/jin　kami		gwishin (shin)

9画

精神 (せいしん) 정신 spirit / [jīng·shén]: vitality
神経 (しんけい) 신경 神经[shénjīng] nerve
神社 (じんじゃ) 신사 [shénshè] shinto shrine
神 (かみ) 신 god

125

乗 乗 乗	ride, board, get on	ジョウ	の(る)/の(せる)	탈 (승)
	chéng	jou	no(ru)/no(seru)	tal (seung)
	9画	乗車 (じょうしゃ) 승차 乗车[chéngchē] riding 乗客 (じょうきゃく) 승객 乗客[chéngkè] passenger 乗る (のる) 타다, 승차하다 to ride, get on 乗せる (のせる) 태우다, 실리다 to give a ride, put on		

昭	bright, clear	ショウ	—	밝을 (소)
	zhāo	shou	—	balkeul (so)
	9画	昭和 (しょうわ) 쇼와 Showa era		

重	heavy, important	ジュウ/ チョウ	おも(い)/かさ(なる)/ かさ(ねる)/え	무거울 (중)
	zhòng	ju/chou	omo(i)/kasa(naru)/ kasa(neru)/e	mugeoul (jung)
	9画	重要 (じゅうよう) 중요 [zhòngyào] important 尊重 (そんちょう) 존중 [zūnzhòng] respect 重い(おもい) 무겁다 heavy 重なる(かさなる) 겹치다, 포개어지다, 거듭되다 to overlap, increase 重ねる(かさねる) 포개다, 거듭하다 to stack, pile up 重(え) 겹 layer		

126

拾	pick up, gather	シュウ	ひろ(う)		주울 (습)
	shí	shou	hiro(u)		juul (seup)
9画		拾得 (しゅうとく) 습득 [shídé] acquisition 収拾 (しゅうしゅう) 수습 [shōushi] to handle, collect 拾う (ひろう) 줍다, 주워 들다 to pick up			

持	hold, possess	ジ	も(つ)		가질 (지)
	chí	ji	motsu		gajil (ji)
9画		維持 (いじ) 유지 维持[wéichí] maintain 持参 (じさん) 지참 bringing 持つ (もつ) 들다, 소유하다 to hold			

指	finger, point	シ	ゆび/さ(す)		손가락 (지)
	zhǐ	shi	yubi/sasu		songarak (ji)
9画		指定 (してい) 지정 [zhǐdìng] designation 指導 (しどう) 지도 guidance 指す (さす) 가리키다, 지시하다 point, indicate 指(ゆび) 손가락 finger			

県 县	prefecture	ケン	—	고을 (현)
	xiàn	ken	—	goeul (hyeon)

| 縣 | 9画 | 県庁 (けんちょう) 현청 prefectural office | | |

研	study, research, sharpen	ケン	—	갈 (연)
	yán	ken	—	gal (yeon)

| 研 | 9画 | 研究 (けんきゅう) 연구 [yánjiū] study, research
研修 (けんしゅう) 연수 [yánxiū] training
研磨 (けんま) 연마 [yánmó] grinding | | |

係	relation, duty	ケイ	かかり/かか(る)	맬 (계)
系	xì	kei	kakari/kaka(ru)	mael (gye)

| 9画 | 関係 (かんけい) 관계 关系[guān·xi] relation
係り (かかり) 담당, 관계 in charge
係る (かかる) 관계되다, 관련되다 to relate | | | |

級 級	class, rank, grade	キュウ	—	등급 (급)
	jí	kyu	—	deunggeup (geup)

| | 9画 | 階級 (かいきゅう) 계급 class, rank
高級 (こうきゅう) 고급 [gāojí] high rank
学級 (がっきゅう) 학급 class, grade | | |

急	hurry, urgent, sudden	キュウ	いそ(ぐ)	급할 (급)
	jí	kyu	iso(gu)	geuphal (geup)

| | 9画 | 急速 (きゅうそく) 급속 [jísù] rapid
急行 (きゅうこう) 급행 rapid service
急ぐ (いそぐ) 서두르다 hurry, rush | | |

客	guest, customer	キャク	—	손님 (객)
	kè	kyaku	—	sonnim (gaek)

| | 9画 | 旅客 (りょかく) 여객 [lǔkè] passenger
客室 (きゃくしつ) 객실 [kèshì] guest room
お客さん (おきゃくさん) 손님 customer, guest | | |

界	world, boundary, edge	カイ	―		지경 (계)
jiè		kai	―		jigyeong (gye)

世界 (せかい) 세계 [shìjiè] world
境界 (きょうかい) 경계 [jìngjiè] border, boundary
限界 (げんかい) 한계 [xiànjiè] limit

9画

屋	house, shop, room	オク	や		집 (옥)
wū		oku	ya		jip (ok)

屋上 (おくじょう) 옥상 rooftop
家屋 (かおく) 가옥 house
屋 (や) 집 house
屋根 (やね) 지붕 roof
部屋 (へや) 방 room

9画

旅	travel, trip, journey	リョ	たび		나그네 (려)
lǚ		ryo	tabi		nageunae (ryeo)

旅行 (りょこう) 여행 [lǚxíng] travel
旅館 (りょかん) 여관 [lǚguǎn] hotel
旅 (たび) 여행 travel

10画

流	flow, current, stream	リュウ	なが(れる)/なが(す)	흐를 (류)
	liú	ryuu	naga(reru)/naga(su)	heureul (ryu)

10 画	流行 (りゅうこう) 유행 [liúxíng] trend 合流 (ごうりゅう) 합류 [héliú] join 流れる (ながれる) 흐르다 to flow, run 流す(ながす) 흘리다 to let flow

勉	exertion, effort, endeavor	ベン	—	힘쓸 (면)
	miǎn	ben	—	himseul (myeon)

10 画	勉強 (べんきょう) 공부 study, learning 勤勉 (きんべん) 근면 [qínmiǎn] diligence

病	illness, sickness	ビョウ	やまい	병 (병)
	bìng	byou	yamai	byeong (byeong)

10 画	病院 (びょういん) 병원 [bìngyuàn] hospital 病気 (びょうき) 병 illness, disease 病 (やまい) 병, 나쁜 버릇 disease

速	speed, quick, fast	ソク	はや(い)/はや(まる)/はや(める)	빠를 (속)
	sù	soku	haya(i)/haya(maru)/haya(meru)	ppareul (sok)

速度 (そくど) 속도 [sùdù] speed
速力 (そくりょく) 속력 velocity
10画 速い (はやい) 빠르다 fast, quick
速まる(はやまる) 빨라지다 to become faster
速める(はやめる) 빠르게 하다 to make faster

息	breath, rest	ソク	いき	숨쉴 (식)
	xī	soku	iki	sumshwil (sig)

休息(きゅうそく) 휴식 [xiū·xi] rest
消息(しょうそく) 소식 [xiāo·xi] news
10画 息子 (むすこ) 아들 son
息 (いき) 숨 breath, respiration

真	truth, reality, genuine	シン	ま	참 (진)
	zhēn	shin	ma	cham (jin)

真実 (しんじつ) 진실 真实[zhēnshí] reality
真理 (しんり) 진리 [zhēnlǐ] truth
眞 10画 真面目 (まじめ) 진심, 착실함 earnest
真似 (まね) 흉내, 시늉 imitation

132

消	extinguish disappear	ショウ	け(す)/き(える)	사라질 (소)
	xiāo	shou	ke(su)/kie(ru)	sarajil (so)

10 画	消防 (しょうぼう) 소방 [xiāofáng] firefighting
	消化 (しょうか) 소화 [xiāo·huà] digest
	消費 (しょうひ) 소비 [xiāofèi] consumption
	消す (けす) 끄다 to extinguish, turn off
	消える(きえる) 꺼지다 to disappear

酒	alcohol	シュ	さけ/さか	술 (주)
	jiǔ	shu	sake/saka	sul (ju)

10 画	飲酒 (いんしゅ) 음주 [yǐnjiǔ] drinking
	日本酒 (にほんしゅ) 일본주 sake
	酒(さか) - 술의.. of sake /酒場(さかば) 주점 bar
	酒 (さけ) 술 alcohol, sake

倍	times, double	バイ	—	곱 (배)
	bèi	bai	—	gop (bae)

10 画	倍増 (ばいぞう) 배증 [bèizēng] doubling
	倍率 (ばいりつ) 배율 magnification

配	distribute	ハイ	くば(る)	나눌/짝 (배)
	pèi	hai	kuba(ru)	naneul/jjak (bae)
10 画		配達 (はいたつ) 배달 delivery 支配 (しはい) 지배 [zhīpèi] domination 気配 (けはい) 기미 sign, indication 配る (くばる) 나누다 distribute, deliver		

島 岛	island	トウ	しま	섬 (도)
	dǎo	tou	shima	seom (do)
10 画		半島 (はんとう) 반도 半岛[bàndǎo] peninsula 列島 (れっとう) 열도 列岛[lièdǎo] archipelago 島 (しま) 섬 island		

庭	garden, yard	テイ	にわ	뜰 (정)
	tíng	tei	niwa	ttul (jeong)
10 画		家庭 (かてい) 가정 [jiātíng] home, family 庭園 (ていえん) 정원 庭园[tíngyuán] garden 庭 (にわ) 정원 garden, yard		

根	root, basis	コン	ね		뿌리 (근)
	gēn	kon	ne		ppuri(geun)
	10 画	根拠 (こんきょ) 근거 grounds 根本 (こんぽん) 근본 [gēnběn] fundamental, root 根性 (こんじょう) 근성 inherent nature 根 (ね) 뿌리 root			

庫 库	warehouse	コ	—		곳집 (고)
	kù	ko	—		gotjib (go)
	10 画	倉庫 (そうこ) 창고 仓库[cāngkù] warehouse 冷蔵庫 (れいぞうこ) 냉장고 refrigerator			

宮	shrine, palace	キュウ	みや		집 (궁)
	gōng	kyu	miya		jip (gung)
	10 画	王宮 (おうきゅう) 왕궁 [wánggōng] royal palace 宮殿 (きゅうでん) 궁전 [gōngdiàn] palace 宮 (みや) 궁전 shrine			

135

起	rise, raise, begin	キ	お(きる)/お(こす)/お(こる)	일어날 (기)
	qǐ	ki	o(kiru)/o(kosu)/o(koru)	ireonal (gi)
10 画		起源 (きげん) 기원 origin 起床 (きしょう) 기상 [qǐchuáng] getting out of bed 起きる (おきる) 일어서다 to get up, wake up 起(こ)す(おこす) 일으키다 to start, raise 起(こ)る(おこる) 일어나다, 발생하다 to occur		

荷	load, burden, cargo	カ	に	멜 (하)
	hè	ka	ni	mael (ha)
10 画		出荷 (しゅっか) 출하 shipment 荷物 (にもつ) 짐 luggage, baggage		

院	institution, hospital, temple	イン	—	집 (원)
	yuàn	in	—	zip (won)
10 画		病院 (びょういん) 병원 [bìngyuàn] hospital 退院 (たいいん) 퇴원 leave the hospital		

員	member, person	イン	—	관원 (원)
员	yuán	in	—	gwanwon (won)

	10 画	社員 (しゃいん) 사원 staff 会員 (かいいん) 회원 会员[huìyuán] member		

問	question, ask, problem	モン	と(い)/と(う)/とん	물을 (문)
问	wèn	mon	to(i)/to(u)/ton	mureul (mun)

	11 画	質問 (しつもん) 질문 question, inquiry 問題 (もんだい) 문제 问题[wèntí] problem, question 問屋 (とんや) 도매상 wholesaler 問(い)(とい) 물음, 질문 question 問う(とう) 묻다 to ask		

部	part, section	ブ	—	떼 (부)
	bù	bu	—	ttae (bu)

	11 画	全部 (ぜんぶ) 전부 [quánbù] all 外部 (がいぶ) 외부 [wàibù] outside 内部 (ないぶ) 내부 [nèibù] inside		

137

動	move, motion	ドウ	うご(く)/うご(かす)	움직일 (동)
动	dòng	dou	ugo(ku)/ugo(kasu)	umjigil (dong)

11 画	動物 (どうぶつ) 동물 动物[dòngwù] animal 運動 (うんどう) 운동 运动[yùndòng] workout 自動 (じどう) 자동 自动[zìdòng] automatic 動く(うごく) 움직이다 to move, work 動かす(うごかす) 움직이게 하다 to make something move

都	capital, metropolis	ト/ツ	みやこ	도읍 (도)
	dōu	to/tsu	miyako	doeub (do)

11 画	都合 (つごう) 형편, 사정 circumstances, convenience 都会 (とかい) 도회 city 都市 (とし) 도시 city 都 (みやこ) 수도, 도읍 capital

138

転	revolve, transfer	テン	ころ(ぶ)/ころ(がる)/ ころ(げる)/ころ(がす)	구를 (전)
转	zhuǎn	ten	koro(bu)/koro(garu)/ koro(geru)/koro(gasu)	gureul jeon

轉	11画	好転 (こうてん) 호전 好转[hǎozhuǎn] improvement 転職 (てんしょく) 전직 job change 運転 (うんてん) 운전 drive 転ぶ (ころぶ) 쓰러지다, 구르다 to roll 転がる (ころがる) 구르다, 굴러가다 to roll, turn 転げる (ころげる) 구르다, 뒹굴다 to roll over 転がす(ころがす) 굴리다, 넘어뜨리다 to make someone/thing roll

進	advance, progress	シン	すす(む)/すす(める)	나아갈 (진)
进	jìn	shin	susu(mu)/susu(meru)	naagal (jin)

	11画	進歩 (しんぽ) 진보 进步[jìnbù] progress 進化 (しんか) 진화 进化[jìnhuà] evolution 進学 (しんがく) 진학 advancement in studies 進める(すすめる) 나아가게 하다 to proceed 進む (すすむ) 전진하다 to advance, progress

139

笛	flute, whistle	テキ	ふえ	피리 (적)
	dí	teki	fue	piri (jeok)

11 画	警笛 (けいてき) 경적 [jǐngdí(r)] horn 笛 (ふえ) 피리 flute

帳 帐	account book, curtain	チョウ	—	장막 (장)
	zhàng	chou	—	hwijang (jang)

11 画	帳簿 (ちょうぼ) 장부 账簿[zhàngbù] account book 手帳 (てちょう) 수첩 notebook 帳幕 (ちょうまく) 장막 帐幕[zhàngmù] tent

第	order, prefix for ordinal numbers	ダイ	—	차례 (제)
	dì	dai	—	charye (je)

11 画	次第 (しだい) 순서 order 落第 (らくだい) 낙제 flunk 第一 (だいいち) 제일 first, number one 落第 (らくだい) 낙제 [luòdì] fail

族	tribe, clan, family	ゾク	—	겨레 (족)
	zú	zoku	—	gyeore (jok)
11画		家族 (かぞく) 가족 [jiāzú] family 民族 (みんぞく) 민족 [mínzú] ethnic group		

深	deep, profound	シン	ふか(い)/ふか(める)/ ふか(まる)	깊을 (심)
	shēn	shin	fuka(i)/fuka(meru)/ fuka(maru)	gipeul (sim)
11画		深刻 (しんこく) 심각 [shēnkè] serious 深夜 (しんや) 심야 [shēnyè] late night 深い (ふかい) 깊다 deep 深める (ふかめる) 깊게하다 to deepen 深まる (ふかまる) 깊어지다 to become deeper		

章	chapter, emblem	ショウ	—	글 (장)
	zhāng	shou	—	geul (jang)
11画		文章 (ぶんしょう) 문장 phrase 勲章 (くんしょう) 훈장 勋章[xūnzhāng] medal 章 (しょう) 장 chapter, section		

141

商	commerce trade	ショウ	あきなう	장사 (상)
	shāng	shou	akinau	jangsa (sang)

11 画	商品 (しょうひん) 상품 [shāngpǐn] goods 商店 (しょうてん) 상점 [shāngdiàn] store 商売 (しょうばい) 장사, 상업 business 商う(あきなう) 장사하다 to do business

宿	inn, lodging	シュク	やど/やど(る)/やど(す)	묵을 (숙)
	sù	shuku	yado/yado(ru)/yado(su)	mugeul (suk)

11 画	投宿 (とうしゅく) 투숙 [tóusù] lodging 宿題 (しゅくだい) 숙제 homework 宿泊 (しゅくはく) 숙박 accommodation 宿命 (しゅくめい) 숙명 fate 宿 (やど) 사는 집, 숙박 accommodation 宿る(やどる) 머무르다, 묵다 to stay 宿す(やどす) 잉태하다, 품다 to harbor, contain

習	learn, study, practice	シュウ	なら(う)		익힐 (습)
习	xí	shuu	nara(u)		ikhil (seup)
	11 画	習慣 (しゅうかん) 습관 习惯[xíguàn] custom, habit 練習 (れんしゅう) 연습 练习[liàn xí] practice 演習 (えんしゅう) 연습, 훈련 演习 [yǎnxí] exercise 習う (ならう) 배우다 to learn, study			
終	end, finish	シュウ	お(わる)/お(える)		끝날 (종)
终	zhōng	shuu	o(waru)/o(eru)		kkeutnal (jong)
	11 画	終了 (しゅうりょう) 종료 终了[zhōngliǎo] end 終点 (しゅうてん) 종점 终点[zhōngdiǎn] last stop 終わる (おわる) 끝나다 to end 終える(おえる) 끝내다 to complete, finish			
祭	festival, ritual, ceremony	サイ	まつ(り)/まつ(る)		제사 (제)
	jì	sai	matsuri/matsu(ru)		jesa (je)
	11 画	祭日 (さいじつ) 제일 fete day 祭る(まつる) 제사 지내다 to worship 祭り (まつり) 축제 festival			

球	ball, sphere	キュウ	たま		공 (구)
	qiú	kyu	tama		gong (gu)
11 画		地球 (ちきゅう) 지구 [dìqiú] earth 野球 (やきゅう) 야구 baseball 球 (たま) 공, 구형의 것 ball, sphere			

悪 恶 惡	bad, evil	アク	わる(い)		악할 (악), 미워할 (오)
	ě	aku	waru(i)		akhal (ak), miwohal(o)
11 画		悪魔 (あくま) 악마 恶魔 [èmó] devil 悪天候 (あくてんこう) 악천후 bad weather 悪質 (あくしつ) 악질 wicked 悪い (わるい) 나쁘다 bad, evil			

落	fall, drop, fail	ラク	お(ちる)/お(とす)		떨어질 (락)
	luò	raku	o(chiru)/o(tosu)		tteoreojil (lak)
12 画		脱落 (だつらく) 탈락 [tuōluò] drop out, fail 落下 (らっか) 낙하 falling 落ちる (おちる) 떨어지다 to fall 落(と)す(おとす) 떨어뜨리다 to drop			

陽 阳	sunlight, yang yáng	ヨウ you	— —	볕 (양) byeot (yang)
	12 画	太陽 (たいよう) 태양 太阳[tàiyáng] sun 陽気 (ようき) 양기 阳气[yángqì] cheerfulness 陰陽 (いんよう) 음양 阴阳[yīnyáng] yin and yang		

葉 叶	leaf yè	ヨウ you	は ha	잎 (엽) ip (yeop)
	12 画	落葉 (らくよう) 낙엽 落叶[luòyè] fallen leaves 紅葉 (こうよう) 홍엽, 단풍이 듦 红叶[hóngyè] 　fall foliage 葉書 (はがき) 엽서 postcard 葉 (は) 잎 leaf		

遊 游	play yóu	ユウ yuu	あそ(ぶ) asobu	놀 (유) nol (yu)
	12 画	遊戯 (ゆうぎ) 유희 游戏[yóuxì] game, play 遊園地 (ゆうえんち) 유원지 amusement park 遊ぶ (あそぶ) 놀다 to play, have fun		

145

等	equal, etc.	トウ	ひと(しい)	가지런할 (등)
	děng	tou	hito(shii)	gajireonhal (deung)
12画				

平等 (びょうどう) 평등 [píngděng] equality
等級 (とうきゅう) 등급 [děngjí] level, grade
等しい (ひとしい) 같다 equal, same

湯 汤	hot water, hot bath	トウ	ゆ	끓일 (탕)
	tāng	tou	yu	ddeuril (tang)
12画				

温湯 (おんとう) 온탕 温汤[wēntāng] warm water
熱湯 (ねっとう) 열탕 hot water
湯 (ゆ) 온천물, 뜨거운 물 hot water, hot spring

登	ascend, climb	ト/トウ	のぼ(る)	오를 (등)
	dēng	to/tou	nobo(ru)	oreul (deung)
12画				

登山 (とざん) 등산 [dēngshān] mountain climbing
登録 (とうろく) 등록 registration
登場 (とうじょう) 등장 登场[dēngchǎng] appearance
登る (のぼる) 오르다 to climb, ascend

146

筆 笔	pen, writing brush	ヒツ	ふで	붓 (필)
	bǐ	hitsu	fude	but (pil)

	12 画	随筆 (ずいひつ) 수필 随笔[suíbǐ] essay 筆記 (ひっき) 필기 note taking 筆 (ふで) 붓 brush, pen

悲	sorrowful, sad	ヒ	かな(しい)/かな(しむ)	슬플 (비)
	bēi	hi	kana(shii)/kana(shimu)	seulpeul (bi)

	12 画	悲劇 (ひげき) 비극 悲剧[bēijù] tragedy 悲惨 (ひさん) 비참 悲惨[bēicǎn] misery 悲しむ(かなしむ) 슬퍼하다 to be sad, mourn 悲しい (かなしい) 슬프다 sad

童	child, juvenile	ドウ	—	아이 (동)
	dòng	dou	—	ai (dong)

	12 画	児童 (じどう) 아동 child 童話 (どうわ) 동화 [tónghuà] fairy tale

147

着	wear, put on	チャク	き(る)/き(せる)/つ(く)/つ(ける)	붙을 (착)
	zháo	chaku	kiru/kise(ru)/tsuku/tsu(keru)	bugeul (chak)

12画	到着 (とうちゃく) 도착 arrive 執着 (しゅうちゃく) 집착 执着[zhízhuó] obsession 着物 (きもの) 키모노 kimono 着る (きる) 입다 to wear, put on 着せる(きせる) 입히다 to dress someone 着く(つく) 닿다, 도착하다 to arrive 着ける(つける) 대다, 갖다 붙이다 to attach

短	short, brief	タン	みじか(い)	짧을 (단)
	duǎn	tan	mijika(i)	jjalbeul (dan)

12画	長短 (ちょうたん) 장단 long and short, beat /长短[chángduǎn]: length 短気 (たんき) 성마름 petulance 簡短 (かんたん) 간단 simple 短縮 (たんしゅく) 단축 shorten 短い (みじかい) 짧다 short

植	plant, grow	ショク	う(える)/う(わる)	심을 (식)
	zhí	shoku	u(eru)/u(waru)	simeul (sig)

12 画	植物 (しょくぶつ) 식물 [zhíwù] plant 植える (うえる) 심다 to plant, grow 植わる(うわる) 심어지다 to be planted

勝 胜	victory, win, excel	ショウ	か(つ)	이길 (승)
	shèng	shou	ka(tsu)	igil (seung)

12 画	勝負 (しょうぶ) 승부 胜负[shèngfù] match, game 優勝 (ゆうしょう) 우승 win 勝つ (かつ) 이기다 to win, defeat

暑	hot, warm	ショ	あつ(い)	더울 (서)
	shǔ	sho	atsu(i)	deoul (seo)

12 画	避暑 (ひしょ) 피서 [bìshǔ] summer retreat 暑い (あつい) 덥다 hot (weather)

集	gather, collect	シュウ	あつ(まる)/あつ(める)	모일 (집)
	jí	shuu	atsumaru/atsumeru	moil (jib)
	12 画	集中 (しゅうちゅう) 집중 [jízhōng] concentration 集合 (しゅうごう) 집합 [jíhé] assemble 集まる (あつまる) 모이다 to gather 集める (あつめる) 모으다 to collect 集う(つどう) 모이다, 집회하다 to gather		

歯 齿	tooth	シ	は	이 (치)
	chǐ	shi	ha	i (chi)
齒	12 画	歯科 (しか) 치과 dental clinic 歯 (は) 이 tooth		

港	port, harbor	コウ	みなと	항구 (항)
	gǎng	kou	minato	hanggu (hang)
	12 画	空港 (くうこう) 공항 [kōnggǎng] airport 港 (みなと) 항구 port, harbor		

湖	lake	コ	みずうみ	호수 (호)
	hú	ko	mizuumi	hosu (ho)

	12画	湖畔 (こはん) 호반 [húpàn] lakeside 湖水 (こすい) 호수 lake 湖 (みずうみ) 호수 lake

軽 轻 輕	light, easy, simple	ケイ	かる(い)	가벼울 (경)
	qīng	kei	karu(i)	gabyeoul (gyeong)

	12画	軽快 (けいかい) 경쾌 軽快[qīngkuài] lively 軽率 (けいそつ) 경솔 軽率[qīngshuài] imprudence 軽い (かるい) 가볍다 light, easy

期	period, term	キ	—	기약할 (기)
	qī	ki	—	giyakhal (gi)

	12画	期待 (きたい) 기대 [qīdài] expectation 期間 (きかん) 기간 期间[qījiān] period, term

寒	cold, chill	カン	さむ(い)		찰 (한)
	hán	kan	samu(i)		chal (han)
12画			寒冷 (かんれい) 한랭 [hánlěng] cold 防寒 (ぼうかん) 방한 [fánghán] cold protection 寒い (さむい) 춥다 cold		

階 阶	floor, story	カイ	—		섬돌 (계)
	jiē	kai	—		seomdol (gye)
12画			階段 (かいだん)계단 stairs, steps 階級 (かいきゅう) 계급 阶级[jiējí] rank		

開 开	open, begin, start	カイ	ひら(く)/ひら(ける)/ あ(く)/あ(ける)		열 (개)
	kāi	kai	hira(ku)/hira(keru)/a(ku)/ a(keru)		yeol (gae)
12画			公開 (こうかい) 공개 公开[gōngkāi] make public 開店 (かいてん) 개점 开店[kāidiàn] store opening 開ける(ひらける) 열리다, 트이다 to be opened 開く (ひらく) (닫혔던 것이) 열리다, 열다 to open 開く(あく) 열리다 to be opened 開ける(あける) (문, 덮개) 열다 to open		

152

温	warm, mild	オン	あたた(かい)/あたた(か)/ あたた(める)/ あたた(まる)	따뜻할 (온)
	wēn	on	atataka(i)/atataka(ka)/atatak a(meru)/atataka(maru)	ttatteushal (on)
温	12 画		温泉 (おんせん) 온천 [wēnquán] hot spring 温度 (おんど) 온도 [wēndù] temperature 温かい (あたたかい) 따뜻하다 warm 温か (あたたか) 따뜻함 warmth 暖まる(あたたまる) 따뜻해지다 to become warm 暖める(あたためる) 따뜻하게 하다 to warm (something)	

運	movement motion	ウン	はこ(ぶ)	돌 (운)
运	yùn	un	hako(bu)	dol (un)
	12 画		幸運 (こううん) 행운 幸运[xìngyùn] fortune 運命(うんめい) 운명 destiny 運賃 (うんちん) 운임, 삯 fare 運ぶ (はこぶ) 옮기다 to carry, transport	

飲	drink, imbibe	イン	の(む)	마실 (음)
饮	yǐn	in	nomu	masil(eum)
飲	12 画		飲料 (いんりょう) 음료 饮料[yǐnliào] beverage 飲む (のむ) 마시다 to drink	

路	road, path	ロ	じ	길 (로)
	lù	ro	ji	gil (lo)
13 画		道路 (どうろ) 도로 [dàolù] road 通路 (つうろ) 통로 [tōnglù] passage		

福	luck, fortune, blessing	フク	—	복 (복)
	fú	fuku	—	bok (bok)
13 画		幸福 (こうふく) 행복 [xìngfú] fortune, luck 福祉 (ふくし) 복지 [fúzhǐ] walfare		

詩 诗	poetry, poem	シ	—	시 (시)
	shī	shi	—	si (si)
13 画		詩人 (しじん) 시인 诗人[shīrén] poet 詩 (し) 시 poem, poetry		

業 业	business, work	ギョウ	—	업 (업)
	yè	gyou	—	eop (eop)
13 画		職業 (しょくぎょう) 직업 职业[zhíyè] occupation 卒業 (そつぎょう) 졸업 graduation		

農	farming, agriculture	ノウ	—	농사 (농)
农	nóng	nou	—	nongsa (nong)
	13 画	農業 (のうぎょう) 농업 农业[nóngyè] agriculture 農村 (のうそん) 농촌 农村[nóngcūn] farm village		

鉄	iron	テツ	—	쇠 (철)
铁	tiě	tetsu	—	soe (cheol)
鐵	13 画	鉄道 (てつどう) 철도 铁道[tiědào] railway, railroad 鋼鉄 (こうてつ) 강철 钢铁[gāngtiě] steel		

想	thought, idea	ソウ	—	생각할 (상)
	xiǎng	sou	—	saenggakhal (sang)
	13 画	思想 (しそう) 사상 [sīxiǎng] thought, idea 想像 (そうぞう) 상상 [xiǎngxiàng] imagination 発想(はっそう) 발상 idea, thinking		

漢 汉	Chinese (language, culture)	カン	—	한수 (한)
	hàn	kan	—	hansu (han)
	13 画	漢字 (かんじ) 한자 汉字[Hànzì] kanji 漢方 (かんぽう) 한방 oriental medicine		

感	feeling, sensation	カン	—	느낄 (감)
	gǎn	kan	—	neukkil (gam)
	13 画	感情 (かんじょう) 감정 [gǎnqíng] emotion/feeling 感動 (かんどう) 감동 感动[gǎndòng] emotion 感心 (かんしん) 감심, 감탄 admiration 感じる(かんじる) 느끼다 to feel, sense		

意	meaning, intention	イ	—	뜻 (의)
	yì	i	—	ddeut (ui)
	13 画	意味 (いみ) 의미 [yìwèi] meaning 意義 (いぎ) 의의 意义[yìyì] meaning 用意 (ようい) 용의, 대비 [yòngyì] preparation 意図(いと) 의도 意图[yìtú] intention 意識(いしき) 의식 意识[yì·shí] consciousness		

暗	dark, gloomy	アン	くら(い)	어두울 (암)
	àn	an	kura(i)	eoduurul (am)

13 画	暗記 (あんき) 암기 memorization 明暗 (めいあん) 명암 [míng'àn] light and shade 暗い (くらい) 어둡다 dark

練 练	practice, train	レン	ね(る)	익힐 (련)
	liàn	ren	ne(ru)	ikhil (lyeon)

14 画	練習 (れんしゅう) 연습 练习[liànxí] practice, training 訓練(くんれん) 훈련 训练[xùnliàn] training 練る(ねる) 반죽하다 to knead

緑 绿	green	リョク	みどり	푸를 (록)
	lǜ	ryoku	midori	puleul (rok)

緑 14 画	緑茶 (りょくちゃ) 녹차 绿茶[lǜchá] green tea 緑 (みどり) 녹색 green

鼻	nose	一	はな	코 (비)
	bí	—	hana	ko (bi)

14 画　　鼻 (はな) 코 nose

銀 银	silver	ギン	—	은 (은)
	yín	gin	—	eun (eun)

14 画　　銀行 (ぎんこう) 은행 银行[yínháng] bank
銀 (ぎん) 은 silver

様 样	appearance, like, manner	ヨウ	さま	모양 (양)
	yàng	you	sama	moyang (yang)

様　14 画　　様子 (ようす) 상태 appearance, state
模様 (もよう) 모양 模样(儿)[múyàng(r)] shape
様(さま) 모양, 상태, -님 Mr., Mrs., Ms

158

駅 驿	station yì	エキ eki	— —		역 (역) yeok (yeok)
驛	14 画	駅員 (えきいん) 역무원 station staff 駅 (えき) 역 station			

箱	box xiāng	— —	はこ hako		상자 (상) sangja (sang)
	15 画	箱根 (はこね) 하코네 Hakone 箱 (はこ) 상자 box			

談 谈	conversation, talk tán	ダン dan	— —		말씀 (담) malsseum (dam)
	15 画	談話 (だんわ) 담화 谈话[tánhuà] talk, discussion 雑談 (ざつだん) 잡담 chitchat 相談 (そうだん) 상담 counsel 冗談 (じょうだん) 농담 joke			

159

調	tune, tone, adjust	チョウ	しら(べる)	고를 (조)
调	diào	chou	shiraberu	goreul (jo)

	15 画	調査 (ちょうさ) 조사 调查[diàochá] investigation 強調 (きょうちょう) 강조 强调[qiángdiào] emphasis 調べる (しらべる) 조사하다 to investigate, look up

横	horizontal, sideways	オウ	よこ	가로 (횡)
横	héng	ou	yoko	garo(heong)

	15 画	横断 (おうだん) 횡단 [héngduàn] crossing 縦横 (じゅうおう) 종횡 perpendicular and horizontal 横 (よこ) 가로 horizontal, side

薬	medicine	ヤク	くすり	약 (약)
药	yào	yaku	kusuri	yak (yak)

	16 画	医薬品 (いやくひん) 의약품 pharmaceuticals 薬局 (やっきょく) 약국 pharmacy 薬 (くすり) 약 medicine

橋 桥	bridge	キョウ	はし	다리 (교)
	qiáo	kyou	hashi	dari (gyo)
16 画		鉄橋 (てっきょう) 철교 铁桥[tiěqiáo] iron bridge 橋 (はし) 다리 bridge		

整	arrange, put in order	セイ	ととの(う)/ととの(える)	가지런할 (정)
	zhěng	sei	totonou(u)/totonoe(ru)	gajireonhal (jeong)
16 画		整理 (せいり)정리 [zhěnglǐ] arrange, organize 整頓 (せいとん) 정돈 整顿[zhěngdùn] standstill 整う(ととのう) 필요한 것이 갖추어지다 to be arranged 整える(ととのえる) 정돈하다 to arrange		

館 馆	building, hall	カン	やかた	객사 (관)
	guǎn	kan	yakata	gaeksa (gwan)
16 画		図書館 (としょかん) 도서관 图书馆[úshūguǎn] library 旅館(りょかん) 여관 inn		

161

題	topic, subject, theme	ダイ	—	표제 (제)
題	tí	dai	—	pyoje (je)

18 画

問題 (もんだい) 문제 问题[wèntí] problem, question
話題 (わだい) 화제 话题[huàtí] topic
主題 (しゅだい) 주제 主题[zhǔtí] topic

夫	man, husband	フ	おっと	지아비 (부)
	fū	fu	otto	jiabi (bu)

4画	夫人 (ふじん) 부인 [fūˑren] madam 夫婦 (ふうふ) 부부 夫妻[fūqī] husband and wif 夫(おっと) 남편 husband

不	not, negative	フ/ブ	—	아닐 (불)
	bù	fu/bu	—	anil (bool)

4画	不可能 (ふかのう) 불가능 [bùkěnéng] impossible 不明 (ふめい) 불명 [bùmíng] unknown, unclear 不器用 (ぶきよう) 서투름, 도리에 어긋남 awkward

氏	family name, clan	シ	—	성씨 (씨)
	shì	shi	—	seongssi (ssi)

4画	氏名 (しめい) 성명 full name 彼氏 (かれし) 임, 그이 boyfriend

欠	lack	ケツ	か(ける)/か(く)	이지러질 (결)
	quē	ketsu	kakeru/kaku	ijireojil (gyeol)

缺	4画	欠席 (けっせき) 결석 缺席 [quēxí] absence 欠点 (けってん) 결점 缺点[quēdiǎn] defect, flaw 欠ける(かける) 이지러지다 to be lacking, be chipped 欠く(かく) 결여하다, 없다 to lack

井	well	セイ	い	우물 (정)
	jǐng	—	i	umul (jeong)

	4画	油井 (ゆせい) 유정 oil well 井戸 (いど) 우물 water well

令	orders, command	レイ	—	명령할 (령)
	lìng	rei	—	myeong ryeonghal (ryeong)

	5画	令和 (れいわ) 레이와 Reiwa era 命令 (めいれい) 명령 [mìnglìng] order, command 指令 (しれい) 지령 instructions, order

末	end, conclusion	マツ	すえ		끝 (말)
	mò	matsu	sue		kkeut (mal)

末期 (まつご, まっき) 말기 [mòqī] final stage
5画 粗末 (そまつ) 조잡함, 허술함 simple, crude
末(すえ) 끝 end

付	attach, adhere, associate	フ	つ(く)/つ(ける)		줄 (부)
	fù	fu	tsuku/tsukeru		jul (bu)

交付 (こうふ) 교부 [jiāofù] to issue
付属 (ふぞく) 부속 attachment
5画 付近 (ふきん) 부근 vicinity
付ける(つける) 부착하다 to attach
付く(つく) 붙다 to be attached

必	must, necessary	ヒツ	かなら(ず)		반드시 (필)
	bì	hitsu	kanarazu		bandeusi (pil)

必要 (ひつよう) 필요 [bìyào] necessary, essential
5画 必然 (ひつぜん) 필연 [birán] inevitability
必ず(かならず) 반드시 necessarily

166

民	people, nation	ミン	―		백성 (민)
	mín	min	―		baekseong (min)
	5画	国民 (こくみん) 국민 [guómín] citizen, people 民間 (みんかん) 민간 民间[mínjiān] civilian, private			

包	wrap, pack	ホウ	つつ(む)		쌀 (포)
	bāo	hou	tsutsu(mu)		ssal (po)
	5画	包括 (ほうかつ) 포괄 [bāokuò] inclusive 包囲 (ほうい) 포위 包围[bāowéi] siege 包帯 (ほうたい) 붕대 dressing 包む (つつむ) 포장하다 wrap			

辺 边 邊	environs, vicinity	ヘン	あた(り)/べ		가 (변)
	biān	hen	atari/be		ga (byeon)
	5画	周辺 (しゅうへん) 주변 周边[zhōubiān] surroundings, vicinity 辺り(あたり) 그곳, 근처 nearby 辺(べ) -가 —area			

167

未	not yet, un-	ミ	—	아닐 (미)
	wèi	mi	—	anil (mi)

5画 未来 (みらい) 미래 [wèilái] future
未満 (みまん) 미만 under, less than
未練 (みれん) 미련 lingering attachment

失	mistake, lose	シツ	うしな(う)	잃을 (실)
	shī	shitsu	ushina(u)	ireul (sil)

5画 失敗 (しっぱい) 실패 失敗[shībài] failure
失礼 (しつれい) 실례 [shīlǐ] discourtesy
失望 (しつぼう) 실망 [shīwàng] disappointment
失う(うしなう) 잃다, 잃어버리다 to lose

司	officer, official	シ	—	맡을 (사)
	sī	shi	—	mateul (sa)

5画 司会 (しかい) 사회 hosting, chairperson
上司 (じょうし) 상사 [shàng·si] superior

札	bill, note, document	サツ	ふだ		편지 (찰)
	zhá	satsu	fuda		pyeonji (chal)

5画
札幌 (さっぽろ) 삿포로 Sapporo
札 (さつ) 지폐 bill
札 (ふだ) 표, 팻말 signboard

功	achievement, merit	コウ/ ク	―		공로 (공)
	gōng	kou	―		gongro (gong)

5画
功績 (こうせき) 공적 功绩[gōngjì] achievement
成功 (せいこう)성공[chénggōng] success, achievement
功夫 (くふう) 궁리함 deliberation

加	add, increase	カ	くわ(える)/くわ(わる)	더할 (가)
	jiā	ka	kuwa(eru)/kuwa(waru)	deohal (ga)

5画
追加 (ついか) 추가 [zhuījiā] addition
参加 (さんか) 참가 [cānjiā] participate
加工 (かこう) 가공 [jiāgōng] process
加える (くわえる) 가하다, 더하다 to add
加わる (くわわる) 가해지다 to be added

169

以	by means of, because	イ	—	써 (이)
	yǐ	i	—	sseo (i)

5画
以外 (いがい) 이외 [yǐwài] except for, outside of
以上 (いじょう) 이상 [yǐshàng] above
以下 (いか) 이하 below

老	old, elder	ロウ	お(いる)	늙은이 (로)
	lǎo	rou	oiru	neulgeuni (ro)

6画
老人 (ろうじん) 노인 [lǎo·rén] elderly person
老いる (おいる) 나이를 먹다, 늙다 to grow old

灯	lamp, light	トウ	—	등 (등)
	dēng	tou	—	deung (deung)

燈 6画
電灯 (でんとう) 전등 电灯[diàndēng] electric light
灯台 (とうだい) 등대 lighthouse

好	good, like, love	コウ	す(く)/この(む)	좋을 (호)
	hǎo	kou	suku/konomu	joeul (ho)

6画

友好 (ゆうこう) 우호 [yǒuhǎo] amity
好調 (こうちょう) 호조 satisfactory, good
格好 (かっこう) 모양 appearance
好く (すく) 좋아하다 to like
好む(このむ) 좋아하다, 즐기다, 바라다 to like, wish

兆	omen, sign	チョウ	—	억조 (조)
	zhào	chou	—	oekjo (jo)

6画

兆候 (ちょうこう) 징후 sign
前兆 (ぜんちょう) 전조 [qiánzhào] omen, sign
兆 (ちょう) 조 trillion

仲	middle, intermediary	チュウ	なか	버금 (중)
	zhòng	—	naka	beogeum (joong)

6画

仲介 (ちゅうかい) 중개 mediation
仲裁 (ちゅうさい) 중재 [zhòngcái] zhòngcái
仲 (なか) 사이, 관계 relationship
仲間 (なかま) 동료 fellow, colleague

171

争	conflict, dispute	ソウ	あらそ(う)	다툴 (쟁)
	zhēng	sou	arasou	datul (jaeng)

爭 6画	戦争 (せんそう) 전쟁 战争[zhànzhēng] war 競争 (きょうそう) 경쟁 竞争[jìngzhēng] competition 論争 (ろんそう) 논쟁 论争[lùnzhēng] dispute 争う (あらそう) 경쟁하다 compete

伝	transmission, conveyance	デン	つた(える)/つた(わる)/ つた(う)	전할 (전)
传	chuán	den	tsutae(ru)/tsuta(waru)/tsuta(u)	jeonhal (jeon)

傳 6画	伝言 (でんごん) 전언 传言[chuányán] message 伝統 (でんとう) 전통 传统[chuántǒng] tradition 伝説 (でんせつ) 전설 传说[chuánshuō] legend 宣伝 (せんでん) 선전 宣传[xuānchuán] advertisement 伝達 (でんたつ) 전달 delivery 伝える(つたえる) 전하다 to convey 伝う(つたう) 따라서 이동하다 to pass along 伝わる(つたわる) 전해지다, 전달되다 to be conveyed

172

成	become, successful	セイ	な(す)/な(る)		이룰 (성)
	chéng	sei	nasu/naru		irul (seong)
6画		成功 (せいこう) 성공 [chénggōng] success 成長 (せいちょう) 성장 成长[chéngzhǎng] growth, development 成る(なる) 되다, 이루어지다 to become 成す(なす) 이루다 to accomplish			

共	together, mutually	キョウ	とも		함께 (공)
	gòng	kyou	tomo		hamkke (gong)
6画		共通 (きょうつう) 공통 common 共同 (きょうどう) 공동 [gòngtóng] joint 公共 (こうきょう) 공공 [gōnggòng] public 共 (とも) 같음 same			

各	each, every	カク	おのおの		각각 (각)
	gè	kaku	onoono		gakgak (gak)
6画		各国 (かっこく) 각국 [gèguó] each country 各自 (かくじ) 각자 [gèzì] each 各々 (おのおの) 각각 each, every			

173

印	stamp, seal, mark	イン	しるし	도장 (인)
	yìn	in	shirushi	dojang (in)

6画	印象 (いんしょう) 인상 [yìnxiàng] impression 印刷 (いんさつ) 인쇄 [yìnshuā] print 印鑑 (いんかん) 인감 印鉴[yìnjiàn] stamp 印(しるし) 표시, 표지 symbol

衣	clothing	イ	ころも	옷 (의)
	yī	i	koromo	ot (ui)

6画	衣類 (いるい) 의류 clothing 衣服 (いふく) 의복 [yī·fu] clothing, clothes 衣 (ころも) 의복 clothes

労 劳	labor, toil	ロウ	—	일할 (로)
	láo	rou	—	ilhal (ro)

勞 7画	労働 (ろうどう) 노동 劳动[láodòng] labor, work 苦労(くろう) 노고, 고생 hardship

174

冷	cold, chill	レイ	つめ(たい)/ひ(える)/ひ(やす)/ひ(や)/ひ(やかす)/さ(める)/さ(ます)	찰 (랭)
	lěng	rei	tsumetai/hieru/hiyasu/hiya/hiyakasu/sameru/samasu	chal (raeng)

冷蔵庫 (れいぞうこ) 냉장고 refrigerator
冷静 (れいせい) 냉정 [lěngjìng] calm, cool-headed
冷たい(つめたい) 차가운 cold
冷える(ひえる) 차가워지다 to get cold
7画　冷やす(ひやす) 식히다, 차게하다 to cool down
冷や(ひや) 찬 것 something cold
冷(や)かす(ひやかす) 놀리다, 차게하다 to cool down
冷める(さめる) 식다 to get cold
冷ます(さます) 식히다 to make cool

良	good, nice	リョウ	よ(い)	어질 (량)
	liáng	ryou	yoi	eojil (ryang)

優良 (ゆうりょう) 우량 优良[yōuliáng] superior
7画　良心 (りょうしん) 양심 [liángxīn] conscience
良好 (りょうこう) 양호 [liánghǎo] favorable
良い (よい) 좋다 good, nice

利	benefit, advantage	リ	きく		이로울 (리)
		lì	ri	kiku	irowool (ri)
	7画	利益 (りえき) 이익 [lìyì] profit, benefit 利用 (りよう) 이용 [lìyòng] utilization 便利 (べんり) 편리 [biànlì] convenient 利く (きく) 잘 기능하다 effective			

別 別	separate, branch off	ベツ	わか(れる)		나눌 (별)
		bié	betsu	wakareru	nanul (byeol)
	7画	別々 (べつべつ) 별개로 separately 区別 (くべつ) 구별 [qūbié] distinction 特別 (とくべつ) 특별 [tèbié] special 別れる (わかれる) 이별하다 to part, to separate			

兵	soldier, army	ヘイ / ヒョウ	—		군사 (병)
		bīng	hei/hyou	—	gunsa (byeong)
	7画	兵士 (へいし) 병사 soldier 兵法 (ひょうほう) 병법 [bīngfǎ] (military) strategy			

176

臣	retainer, vassal	ジン/シン	—		신하 (신)
	chén	jin/shin	—		shinha (shin)

7画	臣下 (しんか) 신하 vassal
	大臣 (だいじん) 대신 [dàchén] minister

努	toil, work hard	ド	つと(める)		힘쓸 (노)
	nǔ	do	tsutomeru		himsseul (no)

7画	努力 (どりょく) 노력 [nǔlì] effort, endeavor
	努める(つとめる) 힘쓰다 to strive

低	low, humble	テイ	ひく(い)/ひく(まる)/ひく(める)		밑 (저)
	dī	tei	hikui/hikumaru/hikumeru		mit (jeo)

7画	最低 (さいてい) 최저 [zuìdī] minimum
	低い(ひくい) 낮다 low, short
	低まる(ひくまる) 낮아지다 to become lower
	低める(ひくめる) 낮추다 to lower

束	bundle, bunch	ソク	たば		묶을 (속)
	shù	soku	taba		mukeul (sok)
7画	約束 (やくそく) 약속 promise 拘束 (こうそく) 구속 [jūshù] restriction 束 (たば) 다발, 뭉치 bundle				

折	fold, break	セツ	お(る)/お(れる)/おり		꺾을 (절)
	zhé	setsu	oru/oreru/ori		kkyeokeul (jeol)
7画	骨折 (こっせつ) 골절 [gúzhé] fracture 屈折 (くっせつ) 굴절 bend 折り(おり) 때, 시기, 접음 folding 折る(おる) 접다 to fold 折れる (おれる) 접히다, 부러지다 to break, to be folded				

初	first, beginning	ショ	はつ/はじ(め)/はじ(めて)		처음 (초)
	chū	sho	hatsu/hajime/hajimete		cheoeum (cho)
7画	初級 (しょきゅう) 초급 [chūjí] beginning level 初心者 (しょしんしゃ) 초심자 beginner 初めて (はじめて) 처음으로 for the first time 初め (はじめ) 처음 first time 初(はつ) 처음, 최초 first				

児	child	ジ	―	아이 (아)
儿	ér	ji	―	ai (a)
兒	7画	児童 (じどう) 아동 child 育児(いくじ) 육아 [yù'ér] childcare		

阪	slope, hill	ハン	さか	언덕 (판)
	bǎn	han	saka	eondeok (pan)
	7画	大阪 (おおさか) 오사카 Osaka 阪神 (はんしん) 한신 hanshin (osaka and gobe)		

材	lumber, material	ザイ	―	재목 (재)
	cái	zai	―	jaemok (jae)
	7画	木材 (もくざい) 목재 [mùcái] timber 材料 (ざいりょう) 재료 [cáiliào] material		

岐	intersection, branch	キ	―	갈림길 (기)
	qí	ki	―	gallimgil (gi)
	7画	分岐 (ぶんき) 분기 [fēnqí] branch, divergence		

179

完	perfect, completion	カン	—	완전할 (완)
	wán	kan	—	wanjeonhal (wan)
	7画	完了 (かんりょう) 완료 [wán·le] completion 完成 (かんせい) 완성 [wánchéng] completion		

佐	help, aid	サ	—	도울 (좌)
	zuǒ	sa	—	doul (jwa)
	7画	補佐 (ほさ) 보좌 [fǔzuǒ] assistance		

芸 艺 藝	art, technique	ゲイ	—	재주 (예)
	yún	gei	—	jaeju (ye)
	7画	芸術 (げいじゅつ) 예술 艺术[yìshù] art 芸能 (げいのう) 예능 艺能[yìnéng] artistic talents		

求	seek, request	キュウ	もと(める)	구할 (구)
	qiú	kyu	motomeru	guhal (gu)
	7画	要求 (ようきゅう) 요구 [yāoqiú] demand 求める (もとめる) 요구하다 to seek, to request		

希	hopeful, wish	キ	—		바랄 (희)
	xī	ki	—		baral (hui)

	7 画	希望 (きぼう) 희망 [xīwàng] hope
		希薄 (きはく) 희박 [xībó] thinness

改	revise, change	カイ	あらた(まる)/あらた(める)	고칠 (개)
	gǎi	kai	aratamaru/aratameru	gochil (gae)

	7 画	改善 (かいぜん) 개선 [gǎishàn] improvement
		改まる(あらたまる) 새로워지다 to be renewed
		改める(あらためる) 고치다, 개선하다 to revise

沖	offing	チュウ	おき		화할 (충)
冲	chōng	chu	oki		hwahal (chung)

	7 画	沖 (おき) 난바다, 먼바다 offshore
		沖積 (ちゅうせき) 충적 冲积[chōngjī] alluvial

位	position, rank, status	イ	くらい		자리 (위)
	wèi	i	kurai		jari (wi)
7画		位置 (いち) 위치 [wèi·zhì] position, place 単位 (たんい) 단위 [dānwèi] unit 位(くらい) 지위, 계급 rank			

例	example, precedent	レイ	たと(える)		법식 (례)
	lì	rei	tato(eru)		beopsik (rye)
8画		例外 (れいがい) 예외 [lìwài] exception 慣例 (かんれい) 관례 [guànlì] custom 例える (たとえる) 예를 들다			

牧	pasture, breed	ボク	まき		칠 (목)
	mù	boku	maki		chil (mok)
8画		牧場 (ぼくじょう) 목장 牧场[mùchǎng] pasture 牧畜 (ぼくちく) 목축 farming 遊牧 (ゆうぼく) 유목 游牧 [yóumù] nomadic			

奈	how, crabapple	ナ	—	어찌 (내)
	nài	na	—	eojji (nae)

	8画	奈良 (なら) 나라 Nara (city) 奈落 (ならく) 나락 abyss

典	rule, ceremony	テン	—	법 (전)
	diǎn	ten	—	beop (jeon)

	8画	辞典 (じてん) 사전 辞典[cídiǎn] dictionary 典型 (てんけい) 전형 [diǎnxíng] typical, model 古典 (こてん) 고전 [gǔdiǎn] classic

的	target, of, -al, -ic	テキ	まと	과녁 (적)
	dì	teki	mato	gwanyeok (jeok)

	8画	目的 (もくてき) 목적 [mùdì] purpose 標的 (ひょうてき) 표적 标的[biāodì] target 的確 (てきかく) 적확 accurate, precise 的 (まと) 과녁, 표적 target

183

法	law, method	ホウ	—		법 (법)
	fǎ	hou	—		beop (beop)
	8 画	法律 (ほうりつ) 법률 [fǎlǜ] law 方法 (ほうほう) 방법 [fāngfǎ] way 法則 (ほうそく) 법칙 法则[fǎzé] rule 司法(しほう)사법 [sīfǎ] jurisdiction			

阜	mound, hill	フ	—		언덕 (부)
	fù	fu	—		eondeok (bu)
	8 画	岐阜 (ぎふ) 기후현 Gihu prefecture			

府	urban prefecture, government office	フ	—		마을 (부)
	fǔ	fu	—		maeul (bu)
	8 画	政府 (せいふ) 정부 [zhèngfǔ] government 府県 (ふけん) 부현 prefecture			

念	thought, wish, idea	ネン	—	생각할 (념)
niàn		nen	—	saenggakhal (nyeom)
8画				

念願 (ねんがん) 염원 long-cherished desire
記念 (きねん) 기념 纪念[jìniàn] commemoration
残念 (ざんねん) 유감 disappointing
概念 (がいねん) 개념 [gàiniàn] concept

底	bottom, base	テイ	そこ	바닥 (저)
dǐ		tei	soko	badak (jeo)
8画				

底辺 (ていへん) 저변 bottom
大底 (たいてい) 대개 usually
徹底 (てってい) 철저 彻底[chèdǐ] immaculate
底 (そこ) 바닥 bottom, base

卒	graduate, soldier	ソツ	—	마칠/군사 (졸)
zú		sotsu	—	machil/ gunsa (jol)
8画				

卒業 (そつぎょう) 졸업 卒业 [zúyè] graduation
兵卒 (へいそつ) 병졸 common soldier

185

固	firm, hard, resolute	コ	かた(い)/かた(まる)/かた(める)	굳을 (고)
	gù	ko	katai/katamaru/katameru	guteul (go)

	8画	固定 (こてい) 고정 [gùdìng] fixation 固体 (こたい) 고체 [gùtǐ] solid 固い(かたい) 단단하다 hard, solid 固まる(かたまる) 굳다, 굳어지다, 확고해지다 to solidify 固める(かためる) 굳히다, 확고히 하다 to harden

径	diameter, course	ケイ	—	지름길/길 (경)
	jìng	kei	—	jireumgil/gil (gyeong)

徑	8画	直径 (ちょっけい) 직경 [zhíjìng] diameter 半径 (はんけい) 반경 [bànjìng] radius

協	cooperation collaboration	キョウ	—	화할 (협)
协	xié	kyou	—	hwahal (hyeop)

	8画	協力 (きょうりょく) 협력 协力[xiélì] cooperation 妥協 (だきょう) 타협 妥协[tuǒxié] compromise

松	pine tree	ショウ　まつ	소나무 (송)
	sōng	shou　matsu	sonamu (song)
8画		青松 (せいしょう) 청송 green pine tree 松 (まつ) 소나무 pine tree	

周	circumference, perimeter	シュウ　まわ(り)	두루 (주)
	zhōu	shuu　mawari	duru (ju)
8画		周囲 (しゅうい) 주위 surroundings, circumference 円周 (えんしゅう) 원주 圓周[yuánzhōu] circumference 周り(まわり) 주위, 둘레 surroundings	

治	govern, manage, administer	ジ/ チ	なお(す)/なお(る)/おさ(まる)/おさ(める)	다스릴 (치)
	zhì	ji/chi	naosu/naoru/osamaru/osameru	daseuril (chi)
8画		政治 (せいじ) 정치 [zhèngzhì] politics 自治 (じち) 자치 [zìzhì] autonomy 治す(なおす) 치료하다 to cure, to heal 治る(なおる) 낫다, 치료되다 to be healed, recover 治(ま)る(おさまる) 다스려지다 to be controlled 治める(おさめる) 다스리다 to govern		

参	participate take part in	サン	まい(る)		참여할 (참)
		cān	san	mairu	chamyeohal (cham)

参 8画
参加 (さんか) 참가 [cānjiā] participation
参考 (さんこう) 참고 [cānkǎo] reference
参る (まいる) 가다, 오다 to come

刷	print, printing	サツ	す(る)		인쇄할 (쇄)
		shuā	satsu	suru	inswaehal (swae)

刷 8画
印刷 (いんさつ) 인쇄 [yìnshuā] printing
刷る(する) 찍다, 인쇄하다 to print

泣	cry, weep	キュウ	な(く)		울 (읍)
		qì	kyu	naku	ul (eup)

泣 8画
泣訴(きゅうそ) 읍소 泣诉[qìsù] imploration
泣く(なく) 울다 to cry

季	season, period	キ	—		끝 (계)
		jì	ki	—	kkeut (gye)

季 8画
季節 (きせつ) 계절 季节[jìjié] season

188

官	official, government employee	カン	—		벼슬 (관)
	guān	kan	—		byeoseul (guan)

	8画	器官(きかん) 기관 [qìguān] organ 警官 (けいかん) 경관 police official 官庁 (かんちょう) 관청 government office

芽	bud, sprout	ガ	め		싹 (아)
	yá	ga	me		ssak (a)

	8画	発芽 (はつが) 발아 [fāyá] germination 芽 (め) 새싹 bud, sprout

果	fruit, result	カ	は(て)/は(てる)/は(たす)		과실 (과)
	guǒ	ka	hate/hateru/hatasu		gwasil (gwa)

	8画	効果(こうか) 효과 [xiàoguǒ] effect 果物 (くだもの) 과일 fruit 果て(はて) 끝 end 果てる(はてる) 끝나다 to end 果(た)す(はたす) 다하다, 완수하다 to achieve

岡	hill, knoll	コウ	おか	산등성이 (강)
冈	gāng	kou	oka	sandeungseongi (gang)

8画	岡 (おか) 언덕, 구릉 hill

英	brave, heroic, valiant	エイ	—	꽃부리 (영)
	yīng	ei	—	kkotburi (yeong)

8画	英語 (えいご) 영어 [yīngyǔ] english language 英雄 (えいゆう) 영웅 [yīngxióng] hero

要	important, necessary	ヨウ	かなめ	구할 (요)
	yào	you	kaname	guhal (yo)

9画	必要 (ひつよう) 필요 [bìyào] necessary, essential 重要 (じゅうよう) 중요 [zhòngyào] important 要(かなめ) 가장 중요한 점 essential element

勇	courage, bravery	ユウ	いさ(む)		날랠 (용)
	yǒng	yuu	isamu		nallael (yong)

	9画	勇気 (ゆうき) 용기 勇气[yǒngqì] courage 勇敢 (ゆうかん) 용감 勇敢[yǒnggǎn] brave, courageous 勇む(いさむ) 기운이 솟다 to be encouraged

約 约	promise, contract	ヤク	—		약속할 (약)
	yuē	yaku	—		yaksokhal (yak)

	9画	約束 (やくそく) 약속 promise, agreement 節約 (せつやく) 절약 节约[jiéyuē] frugality 予約 (よやく) 예약 予约 [yùyuē] booking 制約 (せいやく) 제약 制约[zhìyuē] restriction

便	convenience, handy	ベン/ ビン	たよ(り)		편할 (편)
	biàn	ben/bin	tayori		pyeonhal (pyun)

	9画	便利 (べんり)편리 [biànlì] convenient 郵便 (ゆうびん) 우편 post 便り(たより) 소식, 편지 news

191

変	change, vary	ヘン	か(わる)/か(える)	변할 (변)
変	biàn	hen	kawaru/kaeru	byeolhal (byeon)

變	9画	変化 (へんか) 변화 変化[biànhuà] change 大変 (たいへん) 대사건, 큰일 big deal, tough, hard 変わる(かわる) 바뀌다 to be changed かえる(変える) 바꾸다 to change

飛	fly, leap, jump	ヒ	と(ぶ)/と(ばす)	날 (비)
飞	fēi	hi	tobu/tobasu	nal (bi)

	9画	飛行機 (ひこうき) 비행기 airplane 飛ぶ(とぶ) 날다 to fly 飛ばす(とばす) 날리다 to throw, fly

栃	japanese horse chestnut	―	とち	칠엽수
―	―	―	tochi	chilyeopsu

	9画	栃 (とち) 칠엽수 buckeye 栃木 (とちぎ) 도치기현 Tochigi prefecture

昨	yesterday	サク	—	어제 (작)
	zuó	saku	—	eoje (jak)

	9画	昨日 (さくじつ) 어제 [zuórì] yesterday 昨年 (さくねん) 작년 last year

香	fragrance, aroma	—	かお(り)/かお(る)/か	향기 (향)
	xiāng	—	kaori/kaoru/ka	hyanggi (hyang)

	9画	香り (かおり) 향기 fragrance, scent 香 (か) 향기, 냄새 scent 香る(かおる) 향기가 나다 to be fragrant

建	build, construct	ケン	た(つ)/た(てる)	세울 (건)
	jiàn	ken	tatsu/tateru	seeul (geon)

	9画	建築 (けんちく) 건축 建筑[jiànzhù] architecture 建設 (けんせつ) 건설 construction, building 建てる(たてる) 세우다 to build 建つ(たつ) 세워지다, 서다 to be built

軍	army, troops	グン	—		군사 (군)
军	jūn	gun	—		gunsa (gun)

	9画	軍事 (ぐんじ) 군사 [jūnshì] military affairs 軍隊 (ぐんたい) 군대 军队[jūnduì] army, military

単	simple, single	タン	—		홑 (단)/ 오랑캐 이름 (선)
単	dān	tan	—		hop (dan) / orangkae ireum (seon)

單	9画	単語 (たんご) 단어 word 単位 (たんい) 단위 [dānwèi] unit 単純 (たんじゅん) 단순 单纯[dānchún] simple

浅	shallow, superficial	セン	あさ(い)		얕을 (천)
	qiǎn	sen	asai		yaneul (cheon)

淺	9画	浅薄 (せんぱく) 천박 [qiǎnbó] shallowness 浅い (あさい) 얕다 shallow

194

信	belief, trust	シン	—		믿을 (신)
	xìn	shin	—		miteul (sin)
9画		信頼 (しんらい) 신뢰 [xìnlài] trust 信号 (しんごう) 신호 [xìnhào] signal 通信 (つうしん) 통신 [tōngxìn] communication 信じる(しんじる) 믿다 to believe			

城	castle	ジョウ	しろ		성 (성)
	chéng	jou	shiro		seong (seong)
9画		城闕 (じょうけつ) 성궐 castle walls 城 (しろ) 성 castle			

省	ministry, reduce	ショウ/ セイ	はぶ(く)		살필(성) / 덜(생)
	xǐng/shěng	shou/sei	habuku		salpil(seong) /dul(saeng)
9画		省略 (しょうりゃく) 생략 [shěnglüè] abbreviation 反省 (はんせい) 반성 [fǎnxǐng] self-reflection 省察 (しょうさつ) 성찰 [xǐngchá] introspection 省く (はぶく) 생략하다, 없애다 to reduce			

195

祝	celebration, congratulate	シュク /シュウ	いわ(う)	빌 (축)
	zhù	shuku/ shyu	iu	bil (chuk)

9画
祝福 (しゅくふく) 축복 [zhùfú] blessing
祝儀 (しゅうぎ) 축의 congratulatory gift
祝う(いわう) 축하하다 to celebrate

栄	prosperity, glory	エイ	さか(える)/ は(える)	영화 (영)
荣	róng	ei	sakae(ru)	yeonghwa (yeong)

榮 9画
栄光 (えいこう) 영광 光荣[guāngróng] glory
栄養 (えいよう) 영양 nutrition
栄える(さかえる) 번영하다 to prosper
栄える(はえる) 빛나다, 돋보이다 to flourish

茨	caltrop, thorn	シ	いばら	남가새 (자)
	cí	—	ibara	namgasae (ja)

9画
茨城 (いばらき) 이바라키 Ibaraki prefecture
茨 (いばら) 가시나무 thorn

連	connect, link	レン	つ(れる)/つら(なる)/つら(ねる)	이을 (련)
连	lián	ren	tsureru/tsuranaru/tsuraneru	ieul (ryeon)

	連絡 (れんらく) 연락 contact
	連れる (つれる) 데리고 오다, 거느리다 to connect, accompany
10 画	連なる(つらなる) 줄지어 있다 to be lined up, be in a row
	連ねる(つらねる) 늘어 세우다, 줄짓다 to line up, arrange in a row

料	fee, charge, rate	リョウ	—	헤아릴 (료)
	liào	ryou	—	hearil (ryo)

	料理 (りょうり) 요리 [liàolǐ] cooking, cuisine
10 画	材料 (ざいりょう) 재료 [cáiliào] material
	資料 (しりょう) 자료 [zīliào] data

浴	bathe	ヨク	あ(びる)/あ(びせる)	목욕할 (욕)
	yù	yoku	abiru/abiseru	mokyokhal (yok)

	浴室 (よくしつ) 욕실 [yùshì] bathroom
	入浴 (にゅうよく) 입욕 [rùyù] have a bath
10 画	浴びる (あびる) 뒤집어쓰다 to be showered with
	浴びせる (あびせる) 씌우다, 끼얹다 to pour over

197

梅	plum	バイ	うめ	매화나무 (매)
	méi	bai	ume	maehwanamu (mae)
10 画		梅 (うめ) 매실 plum 梅雨 (ばいう, つゆ) 장마 rainy season		

特	special, particular	トク	—	특별할 (특)
	tè	toku	—	sucut (teuk)
10 画		特別 (とくべつ) 특별 [tèbié] special, exceptional 特徴 (とくちょう) 특징 characteristic		

徒	pupil, disciple	ト	—	무리 (도)
	tú	to	—	muri (do)
10 画		徒歩 (とほ) 도보 [túbù] on foot 生徒 (せいと) 생도, 학생 student		

帯 帯 帯	belt, sash	タイ	おび/お(びる)	띠 (대)
	dài	tai	obi/obiru	tti (dae)
10 画		携帯 (けいたい) 휴대 携帯 [xiédài] portable 帯(おび) 띠 belt 帯びる (おびる) 차다, 착용하다 wear, girdle		

198

孫孙	grandchild	ソン	まご		손자 (손)
	sūn	son	mago		sonja (son)
	10 画	子孫 (しそん) 자손 [zǐsūn] offspring 孫 (まご) 손자, 손녀 grandchild			
残	remain, leftover, residue	ザン	のこ(す)/のこ(る)		남을 (잔)
	cán	zan	nokosu/nokoru		nameul (jan)
殘	10 画	残念 (ざんねん) 유감 regrettable 残酷 (ざんこく) 잔혹 [cánkù] cruelty 残り (のこり)나머지 remainder, leftover 残す(のこす) 남기다 to leave behind 残る(のこる) 남다 to be left			
差	difference, distinction	サ	さ(す)		다를 (차)
	chā	sa	sasu		dareul (cha)
	10 画	誤差 (ごさ) 오차 误差[wùchā] error 差別 (さべつ) 차별 [chābié] discrimination 差(さ) 차 difference 差す(さす) 가리다, 쓰다 to point			

倉 蒼	warehouse	ソウ	くら		곳집 (창)
	cāng	sou	kura		gotjib (chang)
	10 画	倉庫 (そうこ) 창고 warehouse 倉 (くら) 창고 warehouse			
席	seat, mat	セキ	—		자리 (석)
	xí	seki	—		jari (seok)
	10 画	席 (せき) 좌석 seat, place 欠席 (けっせき) 결석 absence (from school)			
笑	laugh, smile	ショウ	わら(う)		웃을 (소)
	xiào	syou	warau		useul (so)
	10 画	微笑 (びしょう) 미소 [wēixiào] smile 笑う (わらう) 웃다 to laugh, smile			
借	borrow, rent	シャク	か(りる)		빌 (차)
	jiè	shaku	kariru		bil (cha)
	10 画	貸借 (たいしゃく) 대차 debit and credit 借用 (しゃくよう) 차용 [jièyòng] borrowing 借りる (かりる) 빌리다 to borrow, rent			

| 候 | season, climate | コウ | — | 기후 (후) |
| | hòu | kou | — | gihu (hu) |

| 10 画 | 天候 (てんこう) 천후 weather
候補 (こうほ) 후보 候补[hòubǔ] candidate
季候 (きこう) 기후, 계절과 날씨 [jìhòu] season, climate |

| 郡 | county, district | グン | — | 고을 (군) |
| | jùn | gun | — | goeul (gun) |

| 10 画 | 郡 (ぐん) 군, 고을 county, district |

| 訓
训 | instruction, interpretation | クン | — | 가르칠 (훈) |
| | xùn | kun | — | gareuchil (hoon) |

| 10 画 | 訓練 (くんれん) 훈련 训练[xùnliàn] training
教訓 (きょうくん) 교훈 教训[jiào·xun] lesson, moral
訓読 (くんどく) 훈독 semantic reading |

挙 挙 擧	raise, elevate jǔ 10 画	キョ kyo	あ(げる)/あ(がる) ageru/agaru	들 (거) deul(geo)

選挙 (せんきょ) 선거 election
挙手 (きょしゅ) 거수 挙手[jǔshǒu] raising one's hand
挙げる(あげる)(손)들다, 거행하다 to raise
挙がる(あがる) 오르다, 올라가다 to ascend

害	harm, injury hài 10 画	ガイ gai	— —	해칠 (해) haechil (hae)

被害 (ひがい) 피해 [bèihài] damage
危害 (きがい) 위해 [wēihài] harm
害する (がいする) 해를 끼치다 harm, damage

案	plan, proposal, suggestion àn 10 画	アン an	— —	책상 (안) chaeksang (an)

提案 (ていあん) 제안 [tíàn] proposal, suggestion
案内 (あんない) 안내 guidance

陸	land, shore	リク	—		뭍 (륙)
陆	lù	riku	—		myeot (lyuk)
	11 画	陸地 (りくち) 육지 陆地 [lùdì] land, continent 大陸 (たいりく) 대륙 大陆 [dàlù] continent			

梨	pear	—	なし		배나무 (리)
	lí	—	nashi		baenamu (ri)
	11 画	梨 (なし) 배 pear			

望	hope, ambition	ボウ	のぞ(む)		바랄 (망)
	wàng	bou	nozomu		baral (mang)
	11 画	期望 (きぼう) 희망 [xīwàng] expectation 望む (のぞむ) 희망하다 hope, wish			

副	vice-, deputy	フク	—		버금 (부)
	fù	fuku	—		beogeum (bu)
	11 画	副作用 (ふくさよう) 부작용 side effect 副詞 (ふくし) 부사 副词[fùcí] adverb			

203

票	vote, ballot	ヒョウ	—		표 (표)
	piào	hyou	—		pyo (pyo)
	11 画	投票 (とうひょう) 투표 [tóupiào] vote, ballot			

敗 敗	defeat, failure	ハイ	やぶ(れる)		패할 (패)
	bài	hai	yabureru		paehal (pae)
	11 画	敗北 (はいぼく) 패배 敗北[bàiběi] defeat, failure 腐敗 (ふはい) 부패 腐敗[fǔbài] decomposition 敗れる(やぶれる) 지다, 패배하다 to lose			

埼	promontory	—	さい		갑 (기)
	qí	—	sai		gap (gi)
	11 画	埼玉 (さいたま) 사이타마 Saitama prefecture			

崎	cape (geographical term)	—	さき		험할 (기)
	qí	—	saki		heomhal (gi)
	11 画	崎 (さき) 곶 peninsula			

菜	vegetable	サイ	な		나물 (채)
	cài	sai	na		namul (chae)
	11 画	野菜 (やさい) 야채 [yěcài] vegetables 菜(な) 야채 vegetables			

側 側	side, aspect	ソク	がわ		곁 (측)
	cè	soku	gawa		gyeot (cheok)
	11 画	側面 (そくめん) 측면 側面[cèmiàn] flank 左側 (さそく) 좌측 左側[zuǒcè] left side 右側 (うそく) 우측 右側[yòucè] right side 側(がわ) 쪽, 측 side			

巣 巣	nest	ソウ	す		새집 (소)
	cháo	sou	su		saejip (so)
	11 画	卵巣 (らんそう) 난소 卵巣[luǎncháo] ovary 巣窟 (そうくつ) 소굴 den 巣 (す) 둥지 nest			

清	pure, clear, clean	セイ/ ショウ	きよ(まる)/きよ(める)/ きよ(い)	맑을 (청)
	qīng	sei/syou	kiyomaru/kiyomeru/ kiyoi	malkeul (cheong)
清	11 画		清潔 (せいけつ) 청결 cleanliness 清浄 (しょうじょう) 청정 [qīngjìng] purity 清い(きよい) 맑다 clean, pure 清まる(きよまる) 맑아지다 to become clear 清める(きよめる) 맑게 하다 to purify	

唱	sing	ショウ	とな(える)	노래 (창)
	chàng	shou	tonaeru	nollae (chang)
	11 画		唱歌 (しょうか) 창가 anthem 歌唱 (かしょう) 가창 [gēchàng] singing, chant 唱える(となえる) 외치다 to chant, recite	

鹿	deer	—	しか	사슴 (록)
	lù	—	shika	saseum (rok)
	11 画		鹿 (しか) 사슴 deer	

産 产	produce, give birth	サン	う(む)/う(まれる)	낳을 (산)
	săn	san	umu/umareru	nateul (san)

11 画	出産 (しゅっさん) 출산 birth, delivery 生産 (せいさん) 생산 生产[shēngchǎn] production 産む(うむ) 낳다 to give birth 産(ま)れる (うまれる) 태어나다 to be born

康	health, peace	コウ	—	편안할 (강)
	kāng	kou	—	pyeonanhal (gang)

11 画	健康 (けんこう) 건강 [jiànkāng] health, wellbeing

健	healthy, strong	ケン	すこやか	굳셀 (건)
	jiàn	ken	sukoyaka	guttsel (geon)

11 画	健全 (けんぜん) 건전 [jiànquán] health, soundness 保健 (ほけん) 보건 [bǎojiàn] health care 健やか(すこやか) 튼튼함, 건전함 healthy

械	machine, apparatus	カイ	―		형틀 (계)
	xiè	kai	―		hyeongteul (gye)
11 画		機械 (きかい) 기계 机械[jīxiè] machine, apparatus			

貨 货	goods, freight	カ	―		재화 (화)
	huò	ka	―		jaehwa (hwa)
11 画		通貨 (つうか) 통화 通货[tōnghuò] currency 貨幣 (かへい) 화폐 货币[huòbì] money 貨物 (かもつ) 화물 货物[huòwù] cargo, freight 雑貨 (ざっか) 잡화 杂货[záhuò] miscellaneous goods			

量	amount, quantity	リョウ	はか(る)		헤아릴 (량)
	liàng	ryou	hakaru		hearil (ryang)
12 画		測量 (そくりょう) 측량 测量[cèliáng] measurement 分量 (ぶんりょう) 분량 [fēn·liang] quantity 量る(はかる) 측정하다 to measure			

208

無	without, nothing	ム/ブ	な(い)		없을 (무)
无	wú	mu/bu	nai		eobseul (mu)

	12 画	無事 (ぶじ) 무사, 평온함 无事[wúshì] safe 無理 (むり) 무리 无理[wúlǐ] impossible 無い(ない) 없다 to not have

満	full, complete	マン	み(たす)/み(ちる)		찰 (만)
満	mǎn	man	mitasu/michiru		chal(man)

	12 画	満足 (まんぞく) 만족 满足[mǎnzú] satisfaction 満月 (まんげつ) 만월 满月[mǎnyuè] full moon 満たす (みたす) 만족시키다 to full, satisfy 満ちる(みちる) 차다 to be full
滿		

富	wealth, abundance	フ	とみ/と(む)		넉넉할 (부)
	fù	fu	tomi/tomu		neokneokhal (bu)

	12 画	豊富 (ほうふ) 풍부 丰富[fēngfù] abundance 富 (とみ) 부 wealth 富む(とむ) 풍부하다 riches, wealth

209

媛	princess, lady	エン	ひめ	계집 (원)
	yuàn	en	hime	gyejip (won)
12 画		嬢 (ひめ) 아가씨 young lady 才媛 (さいえん) 재원 talented woman		

滋	nourishment, nourish	ジ	—	불을 (자)
	zī	ji	—	buleul (ja)
12 画		滋養 (じよう) 자양 nourishment, nourishing		

散	scatter, disperse	サン	ち(る)/ち(らかす)/ ち(らかる)/ち(らす)	흩어질 (산)
	sàn	san	chiru/chirakasu/chirakaru/chirasu	heuteojil (san)
12 画		散歩 (さんぽ) 산보 [sànbù] walk, stroll 解散 (かいさん) 해산 [jiěsàn] disperse, disbandment 散る(ちる) 떨어지다, 흩어지다 to fall, scatter 散らかす(ちらかす) 흩뜨리다, 어지르다 to scatter around, make a mess 散らかる(ちらかる) 흐트러지다, 어질러지다 to be scattered, be in a mess 散らす(ちらす) 흩뜨리다 to scatter, disperse		

最	most, extreme	サイ	もっと(も)		가장 (최)
	zuì	sai	motto(mo)		gajang (choe)
	12画	最高 (さいこう) 최고 [zuìgāo] highest 最初 (さいしょ) 최초 [zuìchū] the first 最も(もっとも) 가장 the most			

結 结	tie, bind, knot	ケツ	むす(ぶ)		맺을 (결)
	jié	ketsu	musubu		maejeul (gyeol)
	12画	結果 (けっか) 결과 结果[jiéguǒ] result 結婚 (けっこん) 결혼 结婚[jiéhūn] marriage, wedding 結ぶ(むすぶ) 잇다, 연결하다, 묶다 to tie, knot			

景	scenery, view	ケイ	—		볕 (경)
	jǐng	kei	—		byeong (gyeong)
	12画	風景 (ふうけい) 풍경 风景[fēngjǐng] scenery 景気 (けいき) 경기 economy 景色 (けしき) 경치 view			

211

極 极	pole, extreme, ultimate	キョク	—		다할 (극)
	jí	kyoku	—		dahal (geuk)
12画		極端 (きょくたん) 극단 极端[jíduān] extreme 消極的 (しょうきょくてき) 소극적 passive 積極的 (せっきょくてき) 적극적 active			

飯 饭	meal, food	ハン	めし		밥 (반)
	fàn	han	meshi		bap (ban)
12画		ご飯 (ごはん) 밥 rice 飯 (めし) 밥, 끼니 meal			

博	exhibition, fair	ハク	—		넓을 (박)
	bó	haku	—		neolbeul (bak)
12画		博物館 (はくぶつかん) 박물관 博物馆[bówùguǎn] museum 博士 (はくし, はかせ) 박사 doctorate, phd			

達 达	attain, reach dá	タツ tatsu	— —	통달할 (달) tongdalhal (dal)
12 画		達人 (たつじん) 달인 达人[dárén] master, expert 上達 (じょうたつ) 상달, 기능이 향상됨 improvement 発達 (はったつ) 발달 发达[fādá] development		

隊 队	team, group duì	タイ tai	— —	떼 (대) dde (dae)
12 画		軍隊 (ぐんたい) 군대 军队[jūnduì] army 部隊 (ぶたい) 부대 部队[bùduì] troops, unit 隊 (たい) 대(隊) squad, team		

然	so, however rán	ゼン/ ネン zen/nen	— —	그러할 (연) geureohal (yeon)
12 画		自然 (しぜん) 자연 [zìrán] nature 全然 (ぜんぜん) 전혀 (not) at all 天然 (てんねん) 천연 [tiānrán] natural		

213

燒	bake, burn	シュウ	や(く)/や(ける)	사를 (소)
焼	shāo	syou	yaku/yakeru	sareul (so)
燒	12画	燃焼 (ねんしょう) 연소 燃烧[ránshāo] combustion 焼く(やく) 굽다 to roast, bake 焼ける(やける) 타다, 구워지다 to be burned

順	conform, sequence	ジュン	—	순할 (순)
顺	shùn	jun	—	sunhal (sun)
	12画	順序(じゅんじょ) 순서 顺序[shùnxù] order 順番 (じゅんばん) 순번 sequence 順調 (じゅんちょう) 순조 smooth

給	give, provide	キュウ	—	줄 (급)
给	gěi / jǐ	kyu	—	jul (geup)
	12画	給料 (きゅうりょう) 급료 salary 給与 (きゅうよ) 급여 pay 供給 (きょうきゅう) 공급 [gōngjǐ] supply, provision

覚	perceive, memorize	カク	おぼ(える)/さ(める)/ さ(ます)	깨달을 (각)
覚	jué	kaku	oboeru/sameru/samasu	kkaedaleul (gak)

覺	12 画	覚悟 (かくご) 각오 覚悟[juéwù] determination 自覚 (じかく) 자각 自觉[zìjué] self-awareness 覚える (おぼえる) 기억하다 to remember, memorize 覚める(さめる) 잠이 깨다 to wake up, waken 覚ます(さます) 깨다, 깨우다 to wake someone up

街	street, town	ガイ	まち	거리 (가)
	jiē	gai	machi	geori (ga)

	12 画	街頭 (がいとう) 가두, 길거리 街头[jiētóu] roadside 街 (まち) 거리 town, street

賀	congratulate	ガ	—	하례 (하)
賀	hè	ga	—	harye (ha)

	12 画	祝賀 (しゅくが) 축하 祝贺[zhùhè] congratulation, celebration 年賀(ねんが) 연하 New Year's greetings

働 动	work, labor	ドウ	はたら(く)		일할 (동)
	dòng	dou	hataraku		ilhal (dong)

労働 (ろうどう) 노동 劳动[láodòng] labor
13 画 稼働 (かどう) 가동 operation
働く (はたらく) 일하다 to work, labor

置	put, place	チ	お(く)	둘 (치)
	zhì	chi	oku	dul (chi)

位置 (いち) 위치 [wèi·zhì] location
13 画 処置 (しょち) 처치 treatment
置く(おく) 놓다 to put, place

照	illuminate, shine	ショウ	て(らす)/て(れる)/て(る)	비출 (조)
	zhào	shou	terasu/tereru/teru	bichul (jo)

照明 (しょうめい) 조명 [zhàomíng] illumination, lighting
対照 (たいしょう) 대조 对照[duìzhào] comparison
13 画 照らす(てらす) 빛을 비추다 to shine on, illuminate
照れる(てれる) 수줍어하다 to feel shy
照る(てる) 비치다, 개다 to shine, beam

216

辞	resign, words	ジ	や(める)	말씀 (사)
	cí	ji	yameru	malssaeum (sa)
辭	13 画	辞典(じてん) [cídiǎn], 辞書(じしょ) 사전 dictionary 返事 (へんじ) 대답 reply 辞める (やめる) 그만두다 to resign, quit		

試	try, attempt	シ	こころ(みる)	시험할 (시)
试	shì	shi	kokoromiru	siheomhal (si)
	13 画	試験 (しけん) 시험 试验[shìyàn] test, examination 試合 (しあい) 시합 match 試みる(こころみる) 시험해보다 to try, attempt		

続	continue, follow	ゾク	つづ(く)/つづ(ける)	이을 (속)
续	xù	zoku	tsuzuku/tsuzukeru	ieul (sok)
續	13 画	継続 (けいぞく) 계속 继续 [jìxù] continuous 続続 (ぞくぞく) 속속, 잇따라 continuously 相続 (そうぞく) 상속 inheritance 続く (つづく) 계속되다, 이어지다 to continue, follow 続ける(つづける) 계속하다 to keep up		

217

戦 战 戰	battle, war	セン	たたか(う)	싸움 (전)
	zhàn	sen	tatakau	ssaum (jeon)
	13 画	戦争 (せんそう) 전쟁 战争[zhànzhēng] war 戦う (たたかう) 싸우다 to fight, battle		

節 节	section, festival	セツ	ふし	마디 (절)
	jié	setsu	fushi	madi (jeol)
	13 画	節約 (せつやく) 절약 节约[jiéyuē] saving 季節 (きせつ) 계절 [jìjié] season, period 節(ふし) 마디 section		

群	herd, flock	グン	む(れ)/む(れる)/むら	무리 (군)
	qún	gun	mure/mureru/mura	muri (gun)
	13 画	群集 (ぐんしゅう) 군집 [qúnjí] gathering 抜群 (ばつぐん) 발군 outstanding 群れ(むれ) 떼, 무리 group 群(むら) 무리, 떼 herd 群れる (むれる)떼지다 to flock, group		

塩	salt	エン	しお	소금 (염)
盐	yán	en	shio	sogeum (yeom)
鹽	13 画	塩 (しお) 소금 salt		

愛	love, affection	アイ	—	사랑 (애)
爱	ài	ai	—	sarang (ae)
	13 画	愛憎 (あいぞう) 애증 love and hatred 愛想 (あいそう) 붙임성, 정나미 amiability 愛 (あい) 사랑 love 愛する (あいする) 사랑하다 love, cherish		

德	virtue, goodness	トク	—	큰 (덕)
德	dé	toku	—	keun (deok)
德	14 画	德沢 (とくたく) 덕택 support 道德 (どうとく) 도덕 道德[dàodé] morals		

219

説 说 說	theory, explanation	セツ	と(く)	말씀 (설)
	shuō	setsu	toku	malssaeum (seol)
	14 画	説明 (せつめい) 설명 说明[shuōmíng] explanation, description 小説 (しょうせつ) 소설 小说(儿)[xiǎoshuō(r)] novel 説く(とく) 말하다, 설득하다 to explain		

漁 渔	fishing	ギョ/ リョウ	—	고기 잡을 (어)
	yú	gyo/ryou	—	gogi jabeul (eo)
	14 画	漁業 (ぎょぎょう) 어업 渔业[yúyè] fishing industry 漁師 (りょうし) 어부 fisherman		

静 靜	quiet, peaceful	セイ	しず(か)/しず(める)/ しず(まる)/しず	고요할 (정)
	jìng	sei	shizuka/shizumeru/shizumaru/shizu	goyohal (jeong)
	14 画	冷静 (れいせい) [lěngjìng] 냉정 cool-headed 静脈 (じょうみゃく) 정맥 vein 静(しず) 조용한 quiet, 静か (しずか) 고요한 모양 quiet, calm 静まる(しずまる) 가라앉다, 안정되다 to calm down, settle down 静める(しずめる) 가라앉히다, 진정시키다 to calm, soothe		

種	species, kind	シュ	たね		씨 (종)
种	zhǒng	shu	tane		si (jong)

14 画	種類 (しゅるい) 종류 种类[zhǒnglèi] species, kind 人種 (じんしゅ) 인종 人种[rénzhǒng] race 種(たね) 씨 seed

旗	flag	キ	はた		기 (기)
	qí	ki	hata		gi (gi)

14 画	国旗 (こっき) 국기 国旗[guóqí] national flag 旗 (はた)깃발 flag, banner

察	investigate guess	サツ	—		살필 (찰)
	chá	satsu	—		salpil (chal)

14 画	考察 (こうさつ) 고찰 [kǎochá] contemplation 警察 (けいさつ) 경찰 police 診察 (しんさつ) 진찰 诊察[zhěnchá] examination 察する (さっする) 직감하다 to perceive, guess

熊	bear	—	くま	곰 (웅)
	xióng	—	kuma	gom (ung)

14画　熊 (くま) 곰 bear

関 关	connection relation	カン	かか(わる)/せき	빗장 (관)
	guān	kan	kagawaru/seki	bitzang (gwan)

關　14画

関係 (かんけい) 관계 关系[guān·xi] relation, connection
玄関 (げんかん) 현관 front door
関心 (かんしん) 관심 关心[guānxīn] interest
関(せき) 관문 gate
係わる(かかわる) 관계되다 to relate

管	pipe, tube	カン	くだ	피리 (관)
	guǎn	kan	kuda	piri (gwan)

14画

管理 (かんり) 관리 [guǎnlǐ] management, control
管轄 (かんかつ) 관할 管辖 [guǎnxiá] jurisdiction
管(くだ) 관, 대롱 tube, pipe

輪 轮	ring, hoop lún	リン rin	わ wa		바퀴 (륜) bakwi (ryun)
15 画		輪郭 (りんかく) 윤곽 outline, contour 年輪 (ねんりん) 연륜 growth ring 輪 (わ) 고리, 테 ring, circle			

養 养	foster, raise yǎng	ヨウ you	やしな(う) yashinau		기를 (양) gireul (yang)
15 画		養育 (よういく) 양육 养育[yǎngyù] rearing 養う (やしなう) 기르다 세 raise, foster			

器	tool, utensil qì	キ ki	— —		그릇 (기) geureut (gi)
15 画		器具 (きぐ) 기구 [qìjù] utensil, tool 楽器 (がっき) 악기 乐器[yuèqì] musical instrument			

潟	lagoon, mudflat	セキ	かた		개펄 (석)
舄	xì	seki	kata		gaepeol (seok)

| | 15 画 | 潟湖 (せきこ), 潟(かた) 석호 lagoon, inlet |

標	mark, sign	ヒョウ	—		표 (표)
标	biāo	hyou	—		pyo (pyo)

| | 15 画 | 標準 (ひょうじゅん) 표준 标准[biāozhǔn] standard, norm
標識 (ひょうしき) 표식 sign, mark |

熱	heat, fever	ネツ	あつ(い)		더울 (열)
热	rè	netsu	atsui		deoul (yeol)

| | 15 画 | 発熱 (はつねつ) 발열 发热[fārè] fever
熱量 (ねつりょう) 열량 热量[rèliàng] calorie
情熱 (じょうねつ) 정열 ardor, passion
熱い (あつい) 뜨겁다 hot, warm |

繩	rope	—	なわ	노끈 (승)
绳	shéng	—	nawa	nokkeun (seung)
繩	15 画	繩 (なわ) 끈 rope, cord		

選	choose, elect	セン	えら(ぶ)	가릴 (선)
选	xuǎn	sen	erabu	garil (seon)
	15 画	選択 (せんたく) 선택 选择[xuǎnzé] choice 選手 (せんしゅ) 선수 选手 [xuǎnshǒu] athlete, player 選ぶ (えらぶ) 선택하다 to choose, select		

課	lesson, section	カ	—	공부할/ 과정 (과)
课	kè	ka	—	gongbuhal/g wajeong (gwa)
	15 画	課題 (かだい) 과제 课题[kètí] lesson, task 課税 (かぜい) 과세 课税 [kèshuì] taxation 課程 (かてい) 과정 process		

億	hundred million	オク	一	억 (억)
亿	yì	oku	一	eok (eok)
	15画	億 (おく) 억 hundred million		

録	record, document	ロク	とる	기록할 (록)
录	lù	roku	toru	girokhal (rok)
錄	16画	録音 (ろくおん) 녹음 录音[lùyīn] recording 記録 (きろく) 기록 记录[jìlù] record, document 目録 (もくろく) 목록 目录[mùlù] list 録る(とる) 녹음하다 to record, take down		

機	machine, engine	キ	はた	틀 (기)
机	jī	ki	hata	teul (gi)
	16画	機械 (きかい) 기계 机械[jīxiè] machine 機会 (きかい) 기회 机会[jī·huì] opportunity, chance 機能 (きのう) 기능 机能[jīnéng] function 危機 (きき) 위기 危机[wēijī] crisis 機(はた) 베틀 loom		

226

積	accumulate, amass	セキ	つ(む)/つ(もる)		쌓을 (적)
积	jī	seki	tsumu/tsumoru		ssaeul (jeok)

	16 画	積極的 (せっきょくてき) 적극적인 positive, proactive 容積 (ようせき) 용적 容积[róngjī] capacity 積む(つむ) 쌓다 to load, stack 積(も)る(つもる) 쌓이다 to pile up, accumulate

類	kind, category	ルイ	たぐ(い)		무리 (류)
类	lèi	rui	tagui		muri (ryu)

	18 画	分類 (ぶんるい) 분류 分类[fēnlèi] classification 類似 (るいじ) 유사 类似[lèisì] similarity, resemblance 類い(たぐい) 같은 부류 kind, sort

観	view, observe	カン	—		볼 (관)
观	guān	kan	—		bol (gwan)

觀	18 画	観察 (かんさつ) 관찰 观察[guānchá] observation, watching 観光 (かんこう) 관광 观光[guānguāng] sightseeing

227

験	experience test	ケン	—		시험 (험)
验	yàn	ken	—		siheom (heom)
驗	18画	実験 (じっけん) 실험 experiment 試験 (しけん) 시험 试验[shìyàn] test, experiment 経験 (けいけん) 경험 经验[jīngyàn] experience			

鏡	mirror	キョウ	かがみ		거울 (경)
镜	jìng	kyou	kagami		geoul (gyeong)
	19画	望遠鏡 (ぼうえんきょう) 망원경 望远镜 [wàngyuǎnjìng] telescope 鏡 (かがみ) 거울 mirror			

願	wish, desire	ガン	ねが(う)		바랄 (원)
愿	yuàn	gan	negau		baral (won)
	19画	願望 (がんぼう) 원하고 바람, 소원 wish 願書 (がんしょ) 원서 application 念願 (ねんがん) 염원 wish 願う(ねがう) 원하다 to wish, request			

228

競	compete, contest	キョウ/ケイ	きそう/せる		다툴 (경)
竞	jìng	kyou/kei	kisou/seru		datul (gyeong)
	20 画	競争 (きょうそう) 경쟁 竞争[jìngzhēng] competition, rivalry			
		競技 (きょうぎ) 경기 竞技[jìngjì] game			
		競馬 (けいば) 경마 horse racing			
		競う(きそう) 다투다 to compete			

議	discussion debate	ギ	—		의논할 (의)
议	yì	gi	—		uinonhal (ui)
	20 画	議論 (ぎろん) 의론, 논의 议论[yìlùn] discussion			
		会議 (かいぎ) 회의 会议[huìyì] meeting			
		議会 (ぎかい) 의회 议会[yìhuì] assembly			

229

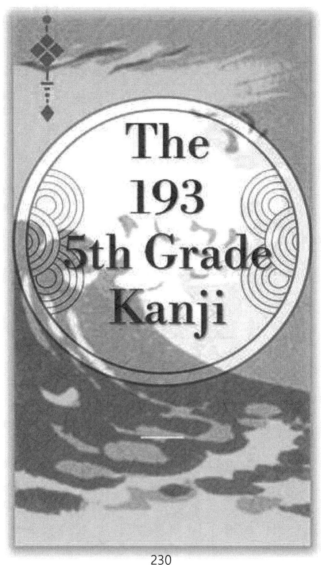

230

士	scholar, gentleman	シ	—	선비 (사)
	shì	shi	—	seonbi (sa)
3 画				

士官 (しかん) 사관 officer
士気 (しき) 사기 士气[shìqì] morale, spirit
軍士 (ぐんし) 군사 soldier

久	long time, old	キュウ	ひさ(しい)	오랠 (구)
	jiǔ	kyuu	hisashii	orael (gu)
3 画				

永久 (えいきゅう) 영구 [yǒngjiǔ] eternity
長久 (ちょうきゅう) 오랜 시간, 장구 long time
久遠 (くおん) 구원, 영원 eternity
久しい(ひさしい) 오래다, 오래간만이다
  long-lasting

仏 佛 佛	buddha	ブツ	ほとけ	부처 (불)
	fó	butsu	hotoke	bucheo (bul)
4 画				

仏教 (ぶっきょう) 불교 佛教[Fójiào] buddhism
仏 (ほとけ) 부처 budda

支	support, branch	シ	ささ(える)	지탱할 (지)
	zhī	shi	sasa(eru)	jityeonghal (ji)

4画
支持 (しじ) 지지 [zhīchí] support
支援 (しえん) 지원 [zhīyuán] support, backing
支える(ささえる) 버티다, 떠받치다 to support

比	compare, ratio	ヒ	くら(べる)	견줄 (비)
	bǐ	hi	kuraberu	gyeonjul (bi)

4画
比較 (ひかく) 비교 比较[bǐjiào] comparison
対比 (たいひ) 대비 对比[duìbǐ] contrast
比例 (ひれい) 비례 [bǐlì] proportion
比べる(くらべる) 비교하다 to compare

弁 辩	dialect	ベン	—	말씀 (변)
	biàn	ben	—	malssum (byeon)

辯 5画
弁護 (べんご) 변호 辩护[biànhù] justification
勘弁 (かんべん) 용서함, 해야 할 일을 면해 줌 forgiveness, pardon

布	spread, distribute	フ	ぬの	베 (포)
	bù	fu	nuno	be (po)

5画

布団 (ふとん) 이불 bedding
財布 (さいふ) 지갑 wallet
布 (ぬの) 천 fabric

句	phrase, clause	ク	—	글귀 (구)
	jù	ku	—	geulgwi (gu)

5画

詩句 (しく) 시구 诗句[shījù] phrase of a poem
句読点 (くとうてん) 구두점 punctuation marks
文句 (もんく) 문구, 불평 complaint

旧	old, former	キュウ	—	예 (구)
	jiù	kyuu	—	ye (gu)

舊   5画

旧友 (きゅうゆう) 구우 [jiùyǒu] old friend
復旧 (ふっきゅう) 복구 复旧[ùjiù] restoration

刊 publication, edition	カン	—	새길 (간)
kān	kan	—	saegil (gan)
5 画	刊行 (かんこう) 간행 [kānxíng] publication 朝刊 (ちょうかん) 조간 morning paper		

犯 crime, offense	ハン	おかす	범할 (범)
fàn	han	okasu	beomhal (beom)
5 画	犯罪 (はんざい) 범죄 [fànzuì] crime 犯行 (はんこう) 범행 criminal act 犯す(おかす) 범하다, 어기다 to commit, violate		

示 indicate, show	ジ/シ	しめ(す)	보일 (시)
shì	ji/shi	shime(su)	boil (si)
5 画	表示 (ひょうじ) 표시 [biǎoshì] display, indication 指示 (しじ) 지시 [zhǐshì] instruction 示唆 (しさ) 시사 hint 示す(しめす) 가리키다, 보이다 to indicate		

234

史	history	シ	—	역사 (사)
	shǐ	shi	—	yeoksa (sa)
	5 画	歴史 (れきし) 역사 历史[lìshǐ] history 史跡 (しせき) 사적 史迹[shǐjì] historical site		

可	possible, permissible	カ	—	옳을 (가)
	kě	ka	—	oseul (ga)
	5 画	可能 (かのう) 가능 [kěnéng] possible 許可 (きょか) 허가 许可[xǔkě] permission		

永	eternity, forever	エイ	なが(い)	길 (영)
	yǒng	ei	nagai	gil (yeong)
	5 画	永遠 (えいえん) 영원 eternity 永い(ながい) 아주 오래다 long		

圧 圧 壓	pressure, stress	アツ	—	누를 (압)
	yā	atsu	—	nureul (ap)
	5 画	圧力 (あつりょく) 압력 pressure 気圧 (きあつ) 기압 atmospheric pressure		

235

任	duty, responsibility	ニン	まか(す)/まか(せる)	맡길 (임)
	rèn	nin	makasu/makaseru	matgil (im)
	6画	任務 (にんむ) 임무 任务[rèn·wu] duty 責任 (せきにん) 책임 责任[zérèn] responsibility 負かす(まかす) 맡기다 to entrust 任せる(まかせる) 맡기다, 위임하다 to delegate, leave (to someone)		

在	exist, be present	ザイ	あ(る)	있을 (재)
	zài	zai	aru	isseul (jae)
	6画	存在 (そんざい) 존재 [cúnzài] existence 現在 (げんざい) 현재 现在[xiànzài] current 滞在 (たいざい) 체재 stay 在る(ある) 있다 to exist		

団 团 團	group, association	ダン	—	둥글 (단)
	tuán	dan	—	dunggeul (dan)
	6画	団体 (だんたい) 단체 团体[tuántǐ] group, organization 団結 (だんけつ) 단결 团结[tuánjié] unity		

236

再	again, once more	サイ/サ	ふたた(び)	두 (재)
		zài	sai/sa	futatabi	du (jae)

	6 画	再生 (さいせい) 재생 [zàishēng] regeneration 再発 (さいはつ) 재발 recurrence 再来 (さらい)- 다음다음의- the one after next 再び (ふたたび) 다시 again

仮 假	temporary, provisional	カ	かり	거짓 (가)
		jiǎ	ka	kari	geojit (ga)

假	6 画	仮説 (かせつ) 가설 假说[jiǎshuō] hypothesis 仮定 (かてい) 가정 假定[jiǎdìng] assumption 仮(かり) 임시, 가짜 temporary, provisional

件	affair, matter	ケン	—	물건 (건)
		jiàn	ken	—	mulgun (geon)

	6 画	事件 (じけん) 사건 [shìjiàn] matter, case 条件 (じょうけん) 조건 [tiáojiàn] condition 物件 (ぶっけん) 물건 [wùjiàn] thing, stuff

237

因	cause, reason	イン	—	인할 (인)
	yīn	in	—	inhal (in)

	6画	原因 (げんいん) 원인 [yuányīn] cause, reason 因果 (いんが) 인과 [yīnguǒ] cause and effect 因る(よる) 기인하다, 말미암다 to be caused by

余	surplus, remainder	ヨ	あま(る)/あま(す)	나 (여)
	yú	yo	amaru/amasu	na (yeo)

	7画	余地 (よち) 여지 [yúdì] choice, room 余裕 (よゆう) 여유 leeway, margin 余計 (よけい) 여분 excessive 余る(あまる) 남다 to be left over 余す(あます) 남게 하다, 남아 있다 to leave (something) over

条	article, clause	ジョウ	—	가지 (조)
	tiáo	jou	—	gaji (jo)

條	7画	条件 (じょうけん) 조건 [tiáojiàn] condition, term 条約 (じょうやく) 조약 条约 [tiáoyuē] treaty

序	order, sequence	ジョ	—	차례 (서)
	xù	jo	—	charye (seo)
7画		順序 (じゅんじょ) 순서 順序[shùnxù] sequence 秩序 (ちつじょ) 질서 [zhìxù] order 序論 (じょろん) 서론 introduction		

似	similar, resemblance	ジ	に(る)	같을 (사)
	sì	ji	niru	gateul (sa)
7画		類似 (るいじ) 유사 类似[lèisì] likeness 近似値 (きんじち) 근사치 approximate value 似る(にる) 닮다 to resemble		

防	prevent, defend	ボウ	ふせ(ぐ)	막을 (방)
	fáng	bou	fuse(gu)	mageul (bang)
7画		防止 (ぼうし) 방지 [fángzhǐ] prevention 消防 (しょうぼう) 소방 [xiāofáng] firefighting 予防 (よぼう) 예방 prevention 防ぐ(ふせぐ) 막다 to prevent		

239

判 judgment, decision	ハン/バン	—	판단할 (판)
pàn	han/ban	—	pandanhal (pan)

	7 画	判定 (はんてい) 판정 [pàndìng] judgment 判断 (はんだん) 판단 [pànduàn] decision 評判 (ひょうばん) 평판 reputation 裁判 (さいばん) 재판 trial

状 state, condition	ジョウ	—	형상 (상)/ 문서 (장)
zhuàng	jou	—	hyeongsang (sang)/ munseo (jang)

狀	7 画	状態 (じょうたい) 상태 状态[zhuàngtài] condition 状況 (じょうきょう) 상황 situation

志 aspiration, ambition	シ	こころざし/ こころざ(す)	뜻 (지)
zhì	shi	kokorozashi/kokorozasu	ddeut (ji)

	7 画	志望 (しぼう) 지망 apply 意志 (いし) 의지, 의사 [yìzhì] will 志 (こころざし) 뜻, 마음 aspiration 志す(こころざす) 뜻하다 to aspire

| 災 | disaster, calamity | サイ | わざわい | 재앙 (재) |
| 灾 | zāi | sai | wazawai | jaeang (jae) |

| | 7 画 | 災害 (さいがい) 재해 灾害[zāihài] disaster
火災 (かさい) 화재 火灾[huǒzāi] fire
天災 (てんさい) 천재 天灾[tiānzāi] natural disaster
人災 (じんさい) 인재 man-made disaster |

| 告 | announce, inform | コク | つ(げる) | 고할 (고) |
| 告 | gào | koku | tsu(geru) | gohal (go) |

| 告 | 7 画 | 告白 (こくはく) 고백 [gàobái] confession
通告 (つうこく) 통고 [tōnggào] notice, announcement
告げる(つげる) 고하다, 알리다 to inform |

| 均 | average, equality | キン | — | 고를 (균) |
| 均 | jūn | kin | — | goreul (gyun) |

| | 7 画 | 平均 (へいきん) 평균 [píngjūn] average
均等 (きんとう) 균등 [jūnděng] equality
均衡 (きんこう) 균형 [jūnhéng] balance |

241

技	skill, technique	ギ	わざ	재주 (기)
		ji	gi	waza	jaeju (gi)

7画	技術 (ぎじゅつ) 기술 技术[jìshù] technique, skill
	演技 (えんぎ) 연기 [yǎnjì] acting
	競技 (きょうぎ) 경기 竞技[jìngjì] match

快	pleasant, cheerful	カイ	こころよ(い)	쾌할 (쾌)
	kuài	kai	kokoroyo(i)	kwaehal (kwae)

7画	快速 (かいそく) 쾌속 [kuàisù] high speed
	快適 (かいてき) 쾌적 comfortable, pleasant
	快い(こころよい) 상쾌하다 refreshing

応	respond, answer	オウ	こた(える)	응할 (응)
応	yìng	ou	kota(eru)	eunghal (eung)

應	7画	応答 (おうとう) 응답 应答[yìngdá] response
		対応 (たいおう) 대응 对应[duìyìng] correspondence, response
		応える(こたえる) 응하다 to respond

242

囲 围 圍	enclose, surround wéi 7画	イ i	かこ(む)/かこ(う) kako(mu)/kakou	에워쌀 (위) eeossam (wi)

包囲 (ほうい) 포위 包围 [bāowéi] siege
周囲 (しゅうい) 주위 surroundings
囲む(かこむ) 두르다, 둘러싸다 to surround
囲う(かこう) 에워싸다 to encircle

武	military, martial wǔ 8画	ブ/ム bu/mu	— —	굳셀 (무) gutsel (mu)

武器 (ぶき) 무기 [wǔqì] weapon
武士 (ぶし) 무사 [wǔshì] warrior

非	non-, not fēi 8画	ヒ hi	— —	아닐 (비) anil (bi)

非常 (ひじょう) 비상 [fēicháng] extraordinary,
unusual
是非 (ぜひ) 시비 [shìfēi] right and wrong
非難 (ひなん) 비난 非难[fēinàn] blame

毒	poison	ドク	—	독 (독)
	dú	doku	—	dok (dok)
8画		消毒 (しょうどく) 소독 [xiāodú] disinfection 中毒 (ちゅうどく) 중독 [zhòngdú] poisoning, addiction 毒 (どく) 독 poison		

性	nature, gender	セイ	—	성품 (성)
	xìng	sei	—	seongpum (seong)
8画		性格 (せいかく) 성격 [xìnggé] character, nature 中性 (ちゅうせい) 중성 [zhōngxìng] neutrality 性能 (せいのう) 성능 [xìngnéng] performance		

制	control, regulation	セイ	—	억제할 (제)
	zhì	sei	—	eokjehal (je)
8画		制度 (せいど) 제도 [zhìdù] system 規制 (きせい) 규제 規制[guīzhì] regulation 制止 (せいし) 제지 [zhìzhǐ] restraint		

肥	fertilize, enrich	ヒ	こ(やす)/こ(やし)/こ(える)/こえ	살찔 (비)
	féi	hi	ko(yasu)/ko(yashi)/ko(eru)/koe	saljjil (bi)

8画

肥料 (ひりょう) 비료 [féiliào] fertilizer
肥満 (ひまん) 비만 obesity
肥(や)す(こやす) 살찌게 하다 to fatten
肥(や)し(こやし), 肥(こえ) 거름 fertilizer
肥える(こえる) 살찌다 to become fat

版	edition, printing	ハン	—	판목 (판)
	bǎn	han	—	panmok (pan)

8画

初版 (しょはん) 초판 [chūbǎn] first edition
版権 (はんけん) 판권 publication right
版 (はん) 판, 버전 edition, print

招	invite, welcome	ショウ	まね(く)	부를 (초)
	zhāo	shou	maneku	bureul (cho)

8画

招待 (しょうたい) 초대 [zhāodài] invitation
招来 (しょうらい) 초래 cause
招く(まねく) 초대하다 to invite

245

述	describe, state	ジュツ	の(べる)	지을 (술)
	shù	jutsu	no(beru)	jieul (sul)

	8画	記述 (きじゅつ) 기술 记述[jìshù] description 陳述 (ちんじゅつ) 진술 陈述[chénshù] statement 述語 (じゅつご) 술어 predicate 述べる (のべる) 설명하다 to state, to express

舍	cottage, villa	シャ	—	집 (사)
舎	shè	sha	—	jib (sa)

舎	8画	寄宿舎 (きしゅくしゃ) 기숙사 dormitory 畜舎 (ちくしゃ) 축사 cattle shed

枝	branch, twig	シ	えだ	가지 (지)
	zhī	shi	eda	gaji (ji)

	8画	枝葉 (しよう) 지엽 枝叶[zhīyè] branches and leaves 枝 (えだ) 가지 branch

246

妻	wife	サイ	つま	아내 (처)
	qī	sai	tsuma	anae (cheo)

8画

妻 (つま) 아내 wife
夫妻 (ふさい) 부처, 부부 husband and wife

効	effect, efficacy	コウ	き(く)	본받을 (효)
效	xiào	kou	ki(ku)	bonbadeul (hyo)

効 | 8画

効果 (こうか) 효과 效果 [xiàoguǒ] effect, result
有効 (ゆうこう) 유효 [yǒuxiào] valid
効力 (こうりょく) 효력 效力[xiàolì] effect
きく(効く) 듣다, 효과가 있다 effective

居	reside, live	キョ	い(る)	살 (거)
	jū	kyo	i(ru)	sal (geo)

8画

居住 (きょじゅう) 거주 [jūzhù] residence
居室 (きょしつ) 거실 [jūshì] living room
居る (いる) 있다 to be, to stay

河	river	カ	かわ	물 (하)
	hé	ka	kawa	mul (ha)
	8画	川 (かわ) 강 river		

価 价 價	value, price	カ	あたい	값 (가)
	jià	ka	atai	gap (ga)
	8画	価値 (かち) 가치 价值[jiàzhí] value, worth 価格 (かかく) 가격 价格[jiàgé] price 物価 (ぶっか) 물가 物价[wùjià] price 評価 (ひょうか) 평가 评价[píngjià] appraisal		

往	journey, travel	オウ	ー	갈 (왕)
	wǎng	ou	ー	gal (wang)
	8画	往復 (おうふく) 왕복 往复[wǎngfù] travel back and forth 往来 (おうらい) 왕래 comings and goings 往往 (おうおう) 왕왕 occasionally		

248

易	easy, simple	エキ/イ	やさ(しい)	바꿀 (역), 쉬울 (이)
	yì	eki/i	yasashii	baggul (yuk), swihul (i)

8 画

安易 (あんい) 안이 easy
貿易 (ぼうえき) 무역 贸易[màoyì] trade
易しい(やさしい) 쉽다 easy

迷	lost, perplexed	メイ	まよ(う)	미혹할 (미)
	mí	mei	mayou	mihokhal (mi)

9 画

迷惑 (めいわく) 귀찮음, 폐 annoyance
迷子 (まいご) 미아 lost child
迷う(まよう) 헤매다 to get lost

保	protect, guarantee	ホ	たも(つ)	지킬 (보)
	bǎo	ho	tamo(tsu)	jikil (bo)

9 画

保護 (ほご) 보호 保护[bǎohù] protection, safeguarding
保存 (ほぞん) 보존 [bǎocún] preservation
保つ(たもつ) 지키다, 유지하다 to protect

独	alone, independence	ドク	ひと(り)	홀로 (독)
	dú	doku	hitori	hollo (dok)

獨	9画	独自 (どくじ) 독자 [dúzì] independently 独立 (どくりつ) 독립 [dúlì] independence 独特 (どくとく) 독특 [dútè] unique 独(ひとり) 한 명, 혼자 alone

則	rule, principle	ソク	—	법칙 (칙)
则	zé	soku	—	beopchik (chik)

	9画	規則 (きそく) 규칙 规则[guīzé] rule 原則 (げんそく) 원칙 原则[yuánzé] principle 法則 (ほうそく) 법칙 法则[fǎzé] law, rule

祖	ancestor	ソ	—	조상 (조)
	zǔ	so	—	josang (jo)

	9画	祖父 (そふ) 조부 [zǔfù] grandfather 先祖 (せんぞ) 선조 [xiānzǔ] ancestor

故	reason, cause	コ	ゆえ	옛 (고)
	gù	ko	—	yeot (go)

	9画	事故 (じこ) 사고 [shìgù] accident, incident 故障 (こしょう) 고장 [gùzhàng] breakdown

限	limit, restrict	ゲン	かぎ(る)	한계 (한)
	xiàn	gen	kagi(ru)	hangye (han)

	9画	限界 (げんかい) 한계 limit 制限 (せいげん) 제한 [zhìxiàn] restriction 限度 (げんど) 한도 [xiàndù] limit, bounds 期限 (きげん) 기한 [qīxiàn] term, time limit 限る(かぎる) 경계, 범위를 짓다 to limit

型	model, type	ケイ	かた	모형 (형)
	xíng	kei	kata	mohyeong (hyeong)

	9画	典型 (てんけい) 전형 [diǎnxíng] model, paragon 原型 (げんけい) 원형 [yuánxíng] the original form 型 (かた) 형, 틀, 관례 form, shape

政	politics, government	セイ	まつりごと	정사 (정)
	zhèng	sei	matsurigoto	jeongsa (jeong)
	9画	政治 (せいじ) 정치 [zhèngzhì] politics 政府 (せいふ) 정부 [zhèngfǔ] government 行政 (ぎょうせい) 행정 [xíngzhèng] administration		

査 查	investigation, inquiry	サ	—	조사할 (사)
	sā	sa	—	josahal (sa)
	9画	調査 (ちょうさ) 조사 调查[diàochá] investigation, inquiry 検査 (けんさ) 검사 inspection 捜査 (そうさ) 수사 搜查[sōuchá] investigation		

厚	thick, heavy	コウ	あつ(い)	두터울 (후)
	hòu	kou	atsui	duteoul (hu)
	9画	濃厚 (のうこう) 농후 density 厚生 (こうせい) 후생 [hòushēng] welfare 厚い(あつい) 두껍다 thick, heavy		

逆	reverse, opposite	ギャク	さか(らう)/さか	거스를 (역)
	nì	gyaku	saka(rau)/saka	geoseureul (yuk)

	9画	逆転 (ぎゃくてん) 역전 逆转[nìzhuǎn] reversal 逆行 (ぎゃっこう) 역행 [nixing] retrogress 逆 (さか) 거꾸로 된 모양 reverse, opposite 逆らう(さからう) 거스르다 to oppose

紀 纪	chronicle, history	キ	―	벼리 (기)
	ji	ki	―	byeori (gi)

	9画	世紀 (せいき) 세기 世纪[shiji] century 紀元 (きげん) 기원 纪元[jiyuán] Common Era

留	stay, remain	ル/ リュウ	と(まる)/と(める)	머무를 (류)
	liú	ru/ryuu	to(maru)/to(meru)	meomureul (ryu)

	10画	留守 (るす) 부재 absence 保留 (ほりゅう) 보류 [bǎoliú] to defer 留学 (りゅうがく) 유학 [liúxué] study abroad 留(ま)る(とまる) 머물다 to stay 留める(とめる) 만류하다, 고정시키다 to detain

能	ability, capability	ノウ	ー	능할 (능)
	néng	nou	ー	neunghal (neung)

10画

能力 (のうりょく) 능력 [nénglì] ability, capability
効能 (こうのう) 효능 [xiàonéng] effect
才能 (さいのう) 재능 [cáinéng] talent

造	create, make	ゾウ	つく(る)	만들 (조)
	zào	zou	tsukuru	mandeul (jo)

10画

製造 (せいぞう) 제조 [zhìzào] manufacture
建造 (けんぞう) 건조 [jiànzào] construction
創造 (そうぞう) 창조 创造[chuàngzào] creation
造詣 (ぞうけい) 조예 造诣[zàoyì] knowledge
造る(つくる) 만들다, 짓다 to make, build

素	elementary, basic	ソ/ス	ー	본디 (소)
	sù	so/su	ー	bondi (so)

10画

素敵 (すてき) 멋지다 lovely, nice
要素 (ようそ) 요소 [yàosù] element
素材 (そざい) 소재 [sùcái] material, ingredient
酸素 (さんそ) 산소 [suānsù] oxygen
素朴 (そぼく) 소박 [sùpǔ] simple

容	content, substance	ヨウ	—	얼굴 (용)
	róng	you	—	eolgul (yong)

容易 (ようい) 용이 easy
容器 (ようき) 용기 [róngqì] container, vessel
10 画
内容 (ないよう) 내용 [nèiróng] content
容貌 (ようぼう) 용모 [róngmào] appearance

脈 脉	pulse, vein	ミャク	—	줄기 (맥)
	mài	myaku	—	julgi (maek)

脈絡 (みゃくらく) 맥락 脉络[màiluò] context
文脈 (ぶんみゃく) 문맥 文脉[wénmài] context
10 画
山脈 (さんみゃく) 산맥 山脉[shānmài] range

粉	powder	フン	こな/こ	가루 (분)
	fěn	fun	kona/ko	garu (bun)

花粉 (かふん) 화분 [huāfěn] pollen
粉砕 (ふんさい) 분쇄 粉碎[fěnsuì] pulverization
10 画
小麦粉 (こむぎこ) 밀가루 flour, powder
粉(こな) 가루 powder

破	break, destroy	ハ	やぶ(れる)/やぶ(る)	깨뜨릴 (파)
	pò	ha	yabure(ru)/yabu(ru)	kkaetteuril (pa)
10画		破産 (はさん) 파산 破产[pòchǎn] bankruptcy 破損 (はそん) 파손 破损[pòsǔn] breakage 破る (やぶる) 깨다, 부수다 to break 破れる (やぶれる) 찢어지다 to be torn		

修	repair, mend	シュウ	おさ(まる)/おさ(める)	닦을 (수)
	xiū	shuu	osamaru/osameru	dakeul (su)
10画		修理 (しゅうり) 수리 [xiūlǐ] repair 修正 (しゅうせい) 수정 [xiūzhèng] correction 修まる(おさまる) 닦아지다 to be polished 修める(おさめる) 닦다, 수양하다 to polish, discipline		

師 师	teacher, master	シ	—	스승 (사)
	shī	shi	—	seuseung (sa)
10画		師匠 (ししょう) 스승 master 教師 (きょうし) 교사 教师[jiàoshī] teacher		

殺 杀	kill, murder	サツ/ サイ	ころ(す)	죽일(살)/ 빠를(쇄)
	shā	satsu	koro(su)	jukil (sal)
	10 画	殺人 (さつじん) 살인 杀人[shārén] murder 殺害 (さつがい) 살해 杀害[shāhài] killing 相殺 (そうさい) 상쇄 offset 殺す(ころす) 죽이다 to kill		

桜 樱 櫻	cherry blossom	—	さくら	앵두 (앵)
	yīng	—	sakura	aengdu (aeng)
	10 画	桜 (さくら) 벚꽃 cherry blossom		

財 财	wealth, fortune	ザイ/サイ	—	재물 (재)
	cái	zai	—	jaemul (jae)
	10 画	財産 (ざいさん) 재산 财产[cáichǎn] property, fortune 財団 (ざいだん) 재단 财团[cáituán] foundation 財布 (さいふ) 지갑 wallet 文化財 (ぶんかざい) 문화재 cultural assets		

257

航	navigation sailing	コウ	—	배 (항)
	háng	kou	—	bae (hang)

	10画	航空 (こうくう) 항공 [hángkōng] aviation 航海 (こうかい) 항해 [hánghǎi] voyage 航路 (こうろ) 항로 [hánglù] sea/airway

耕	cultivation farming	コウ	たがや(す)	밭갈 (경)
	gēng	kou	tagaya(su)	batgal (gyeong)

	10画	耕作 (こうさく) 경작 [gēngzuò] cultivation 耕す(たがやす) 경작하다 to cultivate

個 个	individual, counter for objects	コ	—	낱 (개)
	gè	ko	—	nat (gae)

	10画	個人 (こじん) 개인 个人[gèrén] individual 個性 (こせい) 개성 个性[gèxìng] individuality 個体 (こたい) 개체 entity

格	standard, pattern	カク / コウ	—	격식 (격)
	gé	kaku	—	gyeoksik (gyeok)
	10 画	人格 (じんかく) 인격 [réngé] personality 合格 (ごうかく) 합격 [hégé] pass (an exam) 格差 (かくさ) 격차 disparity 格好 (かっこう) 모양, 모습 appearance, manner		

益	benefit, profit	エキ	—	더할 (익)
	yì	eki	—	deohal (ik)
	10 画	利益 (りえき) 이익 [lìyì] profit, benefit 有益 (ゆうえき) 유익 [yǒuyì] useful 収益 (しゅうえき) 수익 [shōuyì] profit		

略	abbreviation, omission	リャク	—	간략할/ 약할 (략)
	lüè	ryaku	—	ganryakhal/ yakhal (ryak)
	11 画	省略 (しょうりゃく) 생략 [shěnglüè] omission 簡略 (かんりゃく) 간략 简略[jiǎnlüè] simplicity 略す(りゃくす) 생략하다 to abbreviate		

259

率	rate, ratio	リツ/ソツ	ひき(いる)	거느릴 (솔), 비율 (률)
	lù/ shuài	ritsu/ sotsu	hiki(iru)	geonuril (sol) / biyul (ryul)

	効率 (こうりつ) 효율 [xiàolǜ] efficiency
	確率 (かくりつ) 확률 probability, rate
11 画	軽率 (けいそつ) 경솔 軽率[qīngshuài] carelessness
	能率 (のうりつ) 능률 [nénglǜ] efficiency
	率いる(ひきいる) 거느리다, 이끌다 to lead

設 设	establishment institution	セツ	もう(ける)	베풀 (설)
	shè	setsu	mou(keru)	bepul (seol)

	設定 (せってい) 설정 设定[shèdìng] setting
	設計 (せっけい) 설계 设计[shèjì] design
11 画	設立 (せつりつ) 설립 设立[shèlì] establishment
	建設 (けんせつ) 건설 建设[jiànshè] construction
	仮設 (かせつ) 가설 假设[jiǎshè] hypothesis
	設ける(もうける) 베풀다, 만들다 to establish

接	connect, contact	セツ	つぐ	사귈 (접)
	jiē	setsu	tsugu	sagwil (jeop)

	11 画	隣接 (りんせつ) 인접 邻接[línjiē] adjoin 接続 (せつぞく) 접속 connection 接ぐ(つぐ) 접목하다 to connect 接する(せっする) 접촉하다 to contact

貧 贫	poor, impoverished	ビン	まず(しい)	가난할 (빈)
	pín	bin	mazushii	gananhal (bin)

	11 画	貧困 (ひんこん) 빈곤 贫困[pínkùn] poverty 貧血 (ひんけつ) 빈혈 贫血[pínxuè] anemia 貧しい (まずしい) 가난하다 poor, needy

得	gain, profit, benefit	トク	え(る)	얻을 (득)
	dé	toku	e(ru)	eodeul (deuk)

	11 画	得意 (とくい) 득의 [déyì] good at 利得 (りとく) 이득 [lìdé] profit, gain 得る (える)얻다 to gain, to get

務	duty, responsibility	ム	つと(まる)/つと(める)	일 (무)
务	wù	mu	tsutomaru/tsutomeru	il (mu)

		義務 (ぎむ) 의무 义务[yìwù] responsibility
		勤務 (きんむ) 근무 on duty
	11 画	務まる(つとまる) 완수해 낼 수 있다, 감당해
		내다 to be capable of, handle
		務める(つとめる) 임무를 맡다 to perform a duty

婦	wife, married woman	フ	—	며느리 (부)
妇	fù	fu	—	myeoneuri (bu)

	11 画	主婦 (しゅふ) 주부 主妇[zhǔfù] housewife
		婦人 (ふじん) 부인 妇人[fùrén] madam

断	decision, judgment	ダン	ことわ(る)/た(つ)	끊을 (단)
	duàn	dan	kotowaru	kkeuneul (dan)

		横断 (おうだん) 횡단 [héngduàn] traverse
斷	11 画	断絶 (だんぜつ) 단절 断绝 [duànjué] severance
		断る(ことわる) 거절하다 to refuse, to reject
		断つ(たつ) 끊다 to cut

堂	hall, public chamber	ドウ	—	집 (당)
	táng	dou	—	jib (dang)

	11画	講堂 (こうどう) 강당 hall 堂堂 (どうどう) 당당 confident		

停	halt, stop	テイ	—	머무를 (정)
	tíng	tei	—	meomureul (jeong)

	11画	停止 (ていし) 정지 [tíngzhǐ] stop, halt 停電 (ていでん) 정전 停电[tíngdiàn] blackout 停滞 (ていたい) 정체 [tíngzhì] stagnation		

張 张	stretch, lengthen	チョウ	は(る)	베풀 (장)
	zhāng	chou	haru	bepul (jang)

	11画	拡張 (かくちょう) 확장 扩张[kuòzhāng] extension 緊張 (きんちょう) 긴장 紧张[jǐnzhāng] tension 誇張 (こちょう) 과장 夸张[kuāzhāng] exaggeration 張る(はる) 붙이다 to stretch, to spread		

責	blame, accuse	セキ	せ(める)	꾸짖을 (책)
责	zé	seki	se(meru)	kkujileul (chaek)
11画		責任 (せきにん) 책임 责任[zérèn] responsibility 自責 (じせき) 자책 自责[zìzé] blame oneself 責める(せめる) 비난하다 to blame		

情	feelings, emotions	ジョウ	なさ(け)	뜻 (정)
	qíng	jou	nasake	ddeut (jeong)
11画		情報 (じょうほう) 정보 情报[qíngbào] information 情緒 (じょうちょ) 정서 情绪[qíng·xù] emotion 感情 (かんじょう) 감정 [gǎnqíng] feeling 情け(なさけ) 정, 인정 mercy		

險	danger, peril	ケン	けわ(しい)	험할 (험)
险	xiǎn	ken	kewashii	heomhal (heom)
險	11画	保険 (ほけん) 보험 保险[bǎoxiǎn] insurance 冒険 (ぼうけん) 모험 冒险[màoxiǎn] adventure 危険 (きけん) 위험 危险[wēixiǎn] danger, risk 険しい(けわしい) 험하다 steep		

264

経	pass through, manage	ケイ	へ(る)	지날/글 (경)
経	jīng	kei	he(ru)	jinal/geul (gyeong)
經	11 画	経験 (けいけん) 경험 经验[jīngyàn] experience 経済 (けいざい) 경제 经济[jīngjì] economy 経営 (けいえい) 경영 经营[jīngyíng] management 経る(へる) 지나다, 경과하다 to pass through		
許	permit, allow	キョ	ゆる(す)	허락할 (허)
许	xǔ	kyo	yurusu	heorrakhal (heo)
	11 画	許可 (きょか) 허가 许可[xǔkě] permission, approval 特許 (とっきょ) 특허 特许[tèxǔ] patent 免許 (めんきょ) 면허 license 許す(ゆるす) 허가하다 to allow		
救	rescue, save	キュウ	すく(う)	건질 (구)
	jiù	kyuu	sukuu	geonjil (gu)
	11 画	救助 (きゅうじょ) 구조 [jiùzhù] aid, rescue 救援 (きゅうえん) 구원 [jiùyuán] redemption 救急 (きゅうきゅう) 구급 [jiùjí] relief, rescue 救う(すくう) 구하다 to save		

265

規	rule, regulation	キ	一	법 (규)
規	guī	ki	一	beop (gyu)

11 画	規則 (きそく) 규칙 規则[guīzé] rule, regulation 規準 (きじゅん) 규준 基准[jīzhǔn] criterion 規模 (きぼ) 규모 規模 [guīmó] scale

寄	send, approach	キ	よ(る)/よ(せる)	부칠 (기)
	jì	ki	yoru/yoseru	buchil (gi)

11 画	寄付 (きふ) 기부 contribution, donation 寄与 (きよ) 기여 contribution 寄る(よる) 가까이 오다 to come near 寄せる(よせる) 밀려오다 to approach

基	base, foundation	キ	もと	터 (기)
	jī	ki	moto	teo (gi)

11 画	基本 (きほん) 기본 [jīběn] basics, fundamentals 基準 (きじゅん) 기준 基准[jīzhǔn] standard 基礎 (きそ) 기초 基礎[jīchǔ] basics

常	normal, usual	ジョウ	つね	항상 (상)
	cháng	jou	tsune	hangsang (sang)
	11画	常識 (じょうしき) 상식 常识[chángshí] common sense 日常 (にちじょう) 일상 [rìcháng] daily life 正常 (せいじょう) 정상 normality 常(つね) 항상 always		

術 术	technique, skill	ジュツ	—	재주 (술)
	shù	jutsu	—	jaeju (sul)
	11画	技術 (ぎじゅつ) 기술 技术[jìshù] technique, skill 芸術 (げいじゅつ) 예술 艺术[yìshù] art 手術 (しゅじゅつ) 수술 手术[shǒushù] surgery		

授	award, impart	ジュ	—	줄 (수)
	shòu	ju	—	jul (su)
	11画	授業 (じゅぎょう) 수업 授业[shòuyè] lesson, class 教授 (きょうじゅ) 교수[jiàoshòu] professor 授与 (じゅよ) 수여 to grant		

267

採 采	pick, collect / cǎi	サイ / sai	と(る) / toru	캘 (채) / kael (chae)

11 画	採用 (さいよう) 채용 采用[cǎiyòng] adoption, employment 採集 (さいしゅう) 채집 采集 [cǎijí] collection 採決 (さいけつ) 채결 ballot-taking 採る(とる) 뽑다 to pick, harvest

混	mix, blend / hùn	コン / kon	ま(ぜる)/ま(ざる)/ま(じる)/こ(む) mazeru/mazaru/majiru/komu	섞을 (혼) seokeul (hon)

11 画	混乱 (こんらん) 혼란 [hùnluàn] confusion, disorder 混雑 (こんざつ) 혼잡 chaotic 混合 (こんごう) 혼합 [hùnhé] meld 混ぜる(まぜる) 혼합하다 to mix 混ざる(まざる) 섞이다 to be mixed 混じる(まじる) 섞이다 to be mixed 混む(こむ) 붐비다 to be crowded

268

現 現	present, current	ゲン	あらわ(す)/ あらわ(れる)	나타날 (현)
	xiàn	gen	arawasu/arawareru	natanal (hyeon)
	11 画	現在 (げんざい) 현재 現在[xiànzài] present time 現実 (げんじつ) 현실 现实[xiànshí] reality, actuality 現像 (げんぞう) 현상 现象 [xiànxiàng] phenomenon 現(わ)す(あらわす) 드러내다 to reveal 現(わ)れる(あらわれる) 나타나다 to appear		

眼	eye, vision	ガン	—	눈 (안)
	yǎn	gan	—	nun (an)
	11 画	眼球 (がんきゅう) 안구 [yǎnqiú] eye 眼科 (がんか) 안과 [yǎnkē] ophthalmology		

液	liquid, fluid	エキ	—	진 (액)
	yè	eki	—	jin (aek)
	11 画	液体 (えきたい) 액체 [yètǐ] liquid, fluid 血液 (けつえき) 혈액 [xuèyè] blood		

269

移	move, shift	イ	うつ(す)/うつ(る)	옮길 (이)
	yí	i	utsusu/utsuru	omgil (i)

11 画	移動 (いどう) 이동 移动[yídòng] movement, migration 移植 (いしょく) 이식 [yízhí] transplant 移す(うつす) 옮기다 to transfer 移る(うつる) 옮기다, 바뀌다 to shift

貿 贸	trade, commerce	ボウ	—	바꿀 (무)
	mào	bou	—	baggul (mu)

12 画	貿易 (ぼうえき) 무역 贸易[màoyì] trade, commerce

貸 贷	loan, lend	—	か(す)	빌릴 (대)
	dài	—	kasu	bilril (dae)

12 画	賃貸 (ちんたい) 임대 lease 貸与 (たいよ) 대여 rental 貸す(かす) 빌려 주다 to lend

属	belong, depend on	ゾク	—	붙일 (속)
	shǔ	zoku	—	butil (sok)
屬	12画	所属 (しょぞく) 소속 [suǒshǔ] affiliation 付属 (ふぞく) 부속 affiliated 属する (ぞくする) 속하다 to belong to, be part of		

測	measure, gauge	ソク	はか(る)	헤아릴 (측)
測	cè	soku	hakaru	haearil (cheok)
	12画	測定 (そくてい) 측정 測定[cèdìng] measurement, survey 推測 (すいそく) 추측 推測[tuīcè] supposition 測る (はかる) 재다 to measure		

絶	sever, abolish	ゼツ	た(つ)/た(える)/ た(やす)	끊을 (절)
绝	jué	zetsu	tatsu/taeru/tayasui	ddeuneul (jeol)
	12画	絶対 (ぜったい) 절대 絶対[juéduì] absolute, unconditional 絶つ(たつ) 끊다 to cut off 絶える(たえる) 끊어지다, 중단되다 to come to an end 絶やす(たやす) 끊어지게 하다 to let (something) die out		

税	tax, duty	ゼイ	—	세금 (세)
	shuì	ze	—	segeum (se)

税	12画	税金 (ぜいきん) 세금 [shuìjīn] tax, duty
		免税 (めんぜい) 면세 [miǎnshuì] exemption

象	image, appearance	ゾウ/ショウ	—	코끼리 (상)
	xiàng	zou/shou	—	kokkiri (sang)

象	12画	象牙 (ぞうげ) 상아 [xiàngyá] ivory
		象徴 (しょうちょう) 상징 象征[xiàngzhēng] symbol, emblem
		現象 (げんしょう) 현상 现象[xiànxiàng] phenomenon
		象(ぞう) 코끼리 elephant

報	report, information	ホウ	(むく)いる	갚을 (보)
报	bào	hou	mukuiru	gapeul (bo)

	12画	報告 (ほうこく) 보고 报告[bàogào] report, announcement
		情報 (じょうほう) 정보 情报[qíngbào] information
		報恩 (ほうおん) 보은 报恩[bàoēn] repayment, gratitude

272

復 复	revenge, retaliation	フク	—	돌아올 (복)
	fù	fuku	—	dolaol (bok)
	12 画	復習 (ふくしゅう) 복습 复习[fùxí] review 回復 (かいふく) 회복 回复[huífù] recovery 復活 (ふっかつ) 부활 复活[fùhuó] revival, resurrection		
評 评	appraisal, evaluation	ヒョウ	—	평론할 (평)
	píng	hyou	—	pyeongronhal (pyeong)
	12 画	評価 (ひょうか) 평가 评价[píngjià] evaluation, assessment 評判 (ひょうばん) 평판 reputation (评判[píngpàn]: 판정, 심사 judgment)		
備 备	prepare, equip	ビ	そな(わる)/そな(える)	갖출 (비)
	bèi	bi	sonawaru/sonaeru	gatchul (bi)
	12 画	準備 (じゅんび) 준비 准备[zhǔnbèi] preparation 設備 (せつび) 설비 设备[shè·bèi] facilities 備わる(そなわる) 갖추어지다, 구비되다 to be equipped 備える(そなえる) 준비하다 to prepare		

273

費 费	expense, cost	ヒ	(つい)やす/(つい)える	쓸 (비)
	fèi	hi	tsuiyasu/tsuieru	sseul (bi)

	12 画	費用 (ひよう) 비용 費用[fèi·yong] cost, expense 消費 (しょうひ) 소비 [xiāofèi] consumption 費える(ついえる) 줄다, 적어지다 to decrease 費やす(ついやす) 낭비하다 to consume, waste

統 统	unite, govern	トウ	(す)べる	거느릴 (통)
	tǒng	tou	suberu	geoneuril (tong)

	12 画	正統 (せいとう) 정통 正统[zhèngtǒng] authenticity 統一 (とういつ) 통일 统一[tǒngyī] unification, unity 統計 (とうけい) 통계 统计[tǒngji] statistics

程	system, procedure	テイ	ほど	한도/길 (정)
	chéng	tei	hodo	hando/gil (jeong)

	12 画	程度 (ていど) 정도 [chéngdù] degree, extent 日程 (にってい) 일정 [rìchéng] schedule 課程 (かてい) 과정 process

274

提	present, offer	テイ	(さ)げる		끌 (제)
	tí	tei	sageru		ddeul (je)

	12 画	提案 (ていあん) 제안 [tí'àn] proposal, suggestion 提出 (ていしゅつ) 제출 [tíchū] submit 前提 (ぜんてい) 전제 [qiántí] premise 提げる(さげる) 들다, 늘어뜨리다 to hold

貯 貯	store, save	チョ	—		쌓을 (저)
	zhù	cho	—		ssaeul (jeog)

	12 画	貯金 (ちょきん) 저금 savings, deposit 貯蓄 (ちょちく) 저축 saving 貯蔵 (ちょぞう) 저장 贮藏[zhùcáng] storage

証 证	certificate, proof	ショウ	—		간할 (정)
	zhèng	shou	—		ganhal (jeong)

證	12 画	証明 (しょうめい) 증명 证明[zhèngmíng] proof, evidence 保証 (ほしょう) 보증 保证[bǎozhèng] guarantee 証拠 (しょうこ) 증거 evidence

減	reduce, decrease	ゲン	へ(る)/へ(らす)	덜 (감)
減	jiǎn	gen	he(ru)/he(rasu)	deol (gam)

12画

減少 (げんしょう) 감소 減少[jiǎnshǎo] reduction, decrease
加減 (かげん) 가감 增減[zēngjiǎn] adjust
減る(へる) 줄다 to reduce
減らす(へらす) 줄이다 to decrease

檢	examine, inspect	ケン	—	검사할 (검)
检	jiǎn	ken	—	geomsahal (geom)

檢 12画

檢査 (けんさ) 검사 檢查[jiǎnchá] inspection, examination
檢討 (けんとう) 探讨[tàntǎo] 검토 review
探檢 (たんけん) 탐험 exploration

喜	delight, joy	キ	よろこ(ぶ)	기쁠 (희)
	xǐ	ki	yorokobu	gibbeul (hwi)

12画

喜悅 (きえつ) 희열 [xǐyuè] joy
喜ぶ (よろこぶ) 기뻐하다 to be delighted

過	excessive, past	カ	す(ぎる)/す(ごす)/(あやま)つ	지날 (과)
过	guò	ka	sugiru/sugosu	jinal (gwa)

過去 (かこ) 과거 过去[guòqù] past
通過 (つうか) 통과 通过[tōngguò] pass
12 画 過ぎる(すぎる) 지나가다, 넘다 to pass
過(ご)す(すごす) 보내다 to spend
過つ(あやまつ) 실수하다 to make a mistake

資	capital, funds	シ	—	재물 (자)
资	zī	shi	—	jaemul (ja)

資料 (しりょう) 자료 资料[zīliào] data, materials
13 画 資格 (しかく) 자격 资格[zīgé] qualification
資金 (しきん) 자금 资金[zījīn] fund

罪	crime, sin	ザイ	つみ	허물 (죄)
	zuì	zai	tsumi	heomul (joe)

13 画 犯罪 (はんざい) 범죄 [fànzuì] crime, offense
罪(つみ) 죄 sin

営 営	conduct, manage	エイ	いとな(む)	경영할 (영)
	yíng	ei	itonamu	gyeong yeonghal (yeong)
營	12画	営業 (えいぎょう) 영업 营业[yíngyè] business, operations 経営 (けいえい) 경영 经营[jīngyíng] management 営む(いとなむ) 일하다, 경영하다 to operate		

夢 梦	dream	ム	ゆめ	꿈 (몽)
	mèng	mu	yume	ggum (mong)
	13画	夢中 (むちゅう) 몰두 dreaming, absorbed 夢想 (むそう) 몽상 梦想 [mèngxiǎng] daydream 夢(ゆめ) 꿈 dream		

豊 丰	abundance wealth	ホウ	ゆた(か)	풍년 (풍)
	fēng	hou	yuta(ka)	pungnyeon (pung)
	13画	豊富 (ほうふ) 풍부 丰富[fēngfù] abundant 豊満 (ほうまん) 풍만 voluptuous 豊か (ゆたか) 풍부 abundant, rich		

278

墓	grave, tomb	ボ	はか	무덤 (묘)
	mù	bo	haka	mudeom (myo)

13 画

墓地 (ぼち) 묘지 cemetery
墓 (はか) 묘 graveyard

損 损	loss, damage	ソン	—	덜 (손)
	sǔn	son	—	deol (son)

13 画

損害 (そんがい) 손해 损害[sǔnhài] damage
損失 (そんしつ) 손실 损失[sǔnshī] loss, damage
損益 (そんえき) 손익 损益[sǔnyì] profit and loss

勢 势	force, momentum	セイ	いきお(い)	기세 (세)
	shì	sei	ikioi	gise (se)

13 画

勢力 (せいりょく) 세력 势力[shì·li] power, influence
姿勢 (しせい) 자세 姿势[zīshì] posture
時勢 (じせい) 시세 [shíshì] current trend
勢い(いきおい) 기세 force

279

| 準 | standard, norm | ジュン | — | 법도 (준) |
| 准 | zhǔn | jun | — | beopdo (jun) |

| | 13画 | 準備 (じゅんび) 준비 准备[zhǔnbèi] preparation
標準 (ひょうじゅん) 표준 标准[biāozhǔn] standard, norm
水準 (すいじゅん) 수준 水准[shuǐzhǔn] level |

| 飼 | raise, rear | シ | か(う) | 기를 (사) |
| 饲 | sì | shi | kau | gireul (sa) |

| | 13画 | 飼料 (しりょう) 사료 饲料[sìliào] feed
飼育 (しいく) 사육 breeding, raising
飼う(かう) 기르다 to feed |

| 鉱 | mine, mineral | コウ | — | 쇳돌 (광) |
| 矿 | kuàng | kou | — | shotdol (gwang) |

| 鑛 | 13画 | 鉱山 (こうざん) 광산 矿山[kuàngshān] mine
鉱石 (こうせき) 광석 矿石[kuàngshí] ore, mineral |

禁	prohibition, ban	キン	—	금할 (금)
	jìn	kin	—	geumhal (geum)
13 画		禁止 (きんし) 금지 [jìnzhǐ] prohibition, ban 厳禁 (げんきん) 엄금 严禁[yánjìn] strict prohibition 禁煙 (きんえん) 금연 no smoke		

義 义	righteousness justice	ギ	—	옳을 (의)
	yì	gi	—	oseul (ui)
13 画		義務 (ぎむ) 의무 义务[yìwù] duty, obligation 意義 (いぎ) 의의, 뜻 意义[yìyì] significance 講義 (こうぎ) 강의 讲义[jiǎngyì] lecture 義気 (ぎき) 의기 chivalry		

幹 干	trunk, main, stem	カン	みき	줄기 (간)
	gàn	kan	miki	julgi (gan)
13 画		幹部 (かんぶ) 간부 干部[gànbù] executive, senior 幹線 (かんせん) 간선 干线[gànxiàn] main line 幹(みき) 줄기 stem		

解	solution, explanation	カイ / ゲ	と(く)/と(ける)/と(かす)	풀 (해)
	jiě	kai	to(ku)/to(keru)/to(kasu)	pul (hae)

13 画

解決 (かいけつ) 해결 [jiějué] solution, resolution
理解 (りかい) 이해 [lǐjiě] comprehension
解脱 (げだつ) 해탈 [jiětuō] nirvana
解く(とく) 풀다 to slove
解ける(とける) 풀리다 to be solved
解かす(とかす) 빗다, 빗질하다 to untangle, comb

増 增 增	increase, expand	ゾウ	ふ(える)/ふ(やす)/ま(す)	더할 (증)
	zēng	zou	fueru/fuyasu/masu	deohal (jeung)

14 画

増加 (ぞうか) 증가 増加[zēngjiā] increase, addition
増える(ふえる) 늘다 to increase
増やす(ふやす) 늘리다 to add
増す(ます) 커지다 to grow

像	image, likeness	ゾウ	—	모양 (상)
	xiàng	zou	—	moyang (sang)

14 画

現像 (げんぞう) 현상 现象[xiànxiàng] phenomenon
画像 (がぞう) 화상 画像[huàxiàng] image, picture

総	total, whole, overall	ソウ	—	다 (총)
总	zǒng	sou	—	da (chong)

總	14 画	総額 (そうがく) 총액 总额 [zǒng'é] total amount 総論 (そうろん) 총론 general introduction 総合 (そうごう) 총합 overall, comprehensive

製	manufacture, produce	セイ	—	지을 (제)
制	zhì	sei	—	jieul (je)

	14 画	製品 (せいひん) 제품 制品[zhìpǐn] product, goods 製造 (せいぞう) 제조 制造[zhìzào] manufacture 製作 (せいさく) 제작 制作[zhìzuò] manufacture

歴	history, record	レキ	—	지날 (력)
历	lì	reki	—	jinal (ryeok)

歷	14 画	歴史 (れきし) 역사 历史[lìshǐ] history 経歴 (けいれき) 경력 经历[jīnglì] work experience 学歴 (がくれき) 학력 学历 [xuélì] academic background

領 領	territory, domain	リョウ	—	옷깃 (령)
	lǐng	ryou	—	otgit (ryeong)
	14画	領域 (りょういき) 영역 領域[lǐngyù] territory, domain 要領 (ようりょう) 요령 要領[yàolǐng] trick 占領 (せんりょう) 점령 占领[zhànlǐng] occupation		

綿 绵	cotton	メン	わた	솜 면)
	mián	men	wata	som (myeon)
	14画	綿布 (めんぷ) 면포 棉布[miánbù] cotton fabric 綿密 (めんみつ) 면밀 scrupulous 綿(わた) 목화, 솜 cotton		

複 复	multiple, plural	フク	—	겹칠 (복)
	fù	fuku	—	gyeopchil (bok)
	14画	複雑 (ふくざつ) 복잡 复杂[fùzá] complicated 複数 (ふくすう) 복수 复数[fùshù] multiple, plural 複写 (ふくしゃ) 복사 复写 [fùxiě] duplication		

銅	copper	ドウ	—	구리 (동)
铜	tóng	dou	—	guri (dong)

14 画	銅貨 (どうか) 동화 copper coin 銅銭 (どうせん) 동전 铜钱[tóngqián] coin

適	suitable, appropriate	テキ	—	맞을 (적)
适	shì	teki	—	mateul (jeok)

14 画	適当 (てきとう) 적당 适当[shìdàng] appropriate 快適 (かいてき) 쾌적 快适[kuàishì] pleasant 適任 (てきにん) 적임 suitable

態	condition, state	タイ	—	모습 (태)
态	tài	tai	—	moseub (tae)

14 画	姿態 (しせい) 자태 姿态[zītài] posture 態度 (たいど) 태도 态度 [tài·du] attitude 状態 (じょうたい) 상태 状态[zhuàngtài] state, condition

精	refined, essence	セイ	—	정할 (정)
	jīng	sei	—	jeonghal (jeong)
14画		精神 (せいしん) 정신 [jīng·shén] spirit 精密 (せいみつ) 정밀 [jīngmì] accurate 精巧 (せいこう) 정교 [jīngqiǎo] elaborate		

酸	acid	サン	す(い)	실 (산)
	suān	san	sui	sil (san)
14画		酸性 (さんせい) 산성 [suānxìng] acidic 酸素 (さんそ) 산소 oxygen 酸い(すい) 시다 sour		

雑 杂 雑	miscellaneous mixed	ザツ/ ゾウ	—	섞일 (잡)
	zá	zatsu/ zou	—	seokil (jap)
14画		複雑 (ふくざつ) 복잡 复杂[fùzá] complexity 雑誌 (ざっし) 잡지 杂志[zázhì] magazine 雑巾(ぞうきん) 걸레 rag mop		

際	occasion, time	サイ	きわ	즈음/가 (제)
际	ji	sai	kiwa	jeueum/ga (je)

| | 14 画 | 国際 (こくさい) 국제 国际[guójì] international
交際 (こうさい) 교제 交际[jiāojì] date
際(きわ) 가, 가장자리 edge |

構	structure, composition	コウ	かま(う)/かま(える)	얽을 (구)
构	gòu	kou	kamau/kamaeru	eokeul (gu)

| | 14 画 | 構成 (こうせい) 구성 构成[gòuchéng] composition
構造 (こうぞう) 구조 构造[gòuzào] structure, composition
構う(かまう) 관계하다, 상관하다 to concern, mind
構える(かまえる) 꾸미다, 이루다 to prepare, set up |

境	boundary, border	キョウ	さかい	지경 (경)
	jìng	kyou	sakai	jigyeong (gyeong)

| | 14 画 | 境界 (きょうかい) 경계 [jìngjiè] border
心境 (しんきょう) 심경 [xīnjìng] mind
境(さかい) 경계, 갈림길 boundary |

慣 慣 guàn	customary, habitual	カン kan	な(れる)/な(らす) nareru/narasu	익숙할 (관) iksukhal (gwan)
	14 画	習慣 (しゅうかん) 습관 习惯[xíguàn] habit, custom 慣性 (かんせい) 관성 惯性[guànxìng] inertia 慣れる(なれる) 익숙해지다 to get used to 慣らす(ならす) 익숙하게 하다 to train, break in		

演 yǎn	performance, acting	エン en	— —	펼 (연) pyeo (yeon)
	14 画	演技 (えんぎ) 연기 [yǎnjì] performance, acting 演習 (えんしゅう) 연습 演习[yǎnxí] practice 演説 (えんぜつ) 연설 演说 [yǎnshuō] speech		

編 编 biān	edit, compile	ヘン hen	あ(む) amu	엮을 (편) eokeul (pyun)
	15 画	編集 (へんしゅう) 편집 editing, compilation 編入 (へんにゅう) 편입 编入[biānrù] transfer 編む (あむ) 뜨다, 엮다 to knit, weave		

288

潔	clean, pure	ケツ	いさぎよい	깨끗할 (결)
洁	jié	ketsu	isagitoi	kkaekeuthal (gyeol)

| | 15 画 | 潔白 (けっぱく) 결백 洁白[jiébái] innocence
清潔 (せいけつ) 청결 清洁[qīngjié] cleanliness, hygiene
簡潔 (かんけつ) 간결 简洁[jiǎnjié] conciseness
潔い (いさぎよい) 결백하다, 깨끗하다 clean, innocent |

導	guide, lead	ドウ	みちび(く)	이끌 (도)
导	dǎo	dou	michibiku	ikeul (do)

| | 15 画 | 指導 (しどう) 지도 指导[zhǐdǎo] guidance, leadership
誘導 (ゆうどう) 유도 诱导 [yòudǎo] inducement
導く(みちびく) 이끌다 to guide |

賞	award, prize	ショウ	—	상줄 (상)
赏	shǎng	shou	—	sangjul (sang)

| | 15 画 | 賞品 (しょうひん) 상품 prize
受賞 (じゅしょう) 수상 [shòushǎng] award, prize |

289

暴	violent, brutal	ボウ/ バク	あば(れる)	사나울 (폭)
	bào	bou/baku	abareru	sanaul (pok)

	15画	暴力 (ぼうりょく) 폭력 [bàolì] violence 暴露 (ばくろ) 폭로 [bàolù] exposure 暴れる(あばれる) 날뛰다 to act violently

質 质	quality, nature	シツ	―	바탕 (질)
	zhì	shitsu	―	batan (jil)

	15画	質問 (しつもん) 질문 question 品質 (ひんしつ) 품질 品质[pǐnzhì] quality, standard 性質 (せいしつ) 성질 性质[xìngzhì] properties, nature

賛 赞	approval praise	サン	―	도울 (찬)
	zàn	san	―	doeul (chan)

賛	15画	賛成 (さんせい) 찬성 赞成[zànchéng] approval, consent 賛美 (さんび) 찬미 赞美 [zànměi] praise 協賛 (きょうさん) 협찬 sponsorship

確	certain, sure	カク	たし(かめる)/たし(か)	굳을 (확)
确	què	kaku	tashikameru/tashika	gudeul (hwak)

		確認 (かくにん) 확인 确认[quèrèn] confirmation, verification
	15 画	確か (たしか) 확실함 certain
		確かめる(たしかめる) 확인하다, 확실히 하다 to confirm

輸	transport, convey	ユ	—	보낼 (수)
输	shū	yu	—	bonal (su)

	16 画	輸入 (ゆにゅう) 수입 输入[shūrù] import
		輸出 (ゆしゅつ) 수출 输出[shūchū] export, shipment

興	prosper, flourish	キョウ/コウ	(おこ)す/(おこ)る	일 (흥)
兴	xīng	kyou/kou	okosu/okoru	il (heung)

		興味 (きょうみ) 흥미 兴味[xìngwèi] interest
	16 画	復興 (ふっこう) 부흥 复兴[fùxīng] revival
		興す(おこす) 일으키다 to create, raise
		興る(おこる) 흥하다 to prosper, flourish

291

燃	burn, combustion	ネン	も(える)/も(やす)/も(す)	탈 (연)
	rán	nen	mo(eru)/mo(yasu)/mo(su)	tal (yeon)
	16 画	燃焼（ねんしょう）연소 燃烧[ránshāo] combustion 燃料（ねんりょう）연료 [ránliào] fuel, combustible 燃える(もえる) 타다 to be on fire 燃やす(もやす) 불태우다 to set on fire 燃す(もす) 태우다 to burn		

築 筑	construction build	チク	きず(く)	쌓을 (축)
	zhù	chiku	kizuku	ssaeul (chuk)
	16 画	建築（けんちく）건축 建筑[jiànzhù] construction, building 増築（ぞうちく）증축 extend a building 築く（きずく）건설하다 to build		

衛 卫 衞	guard, protect	エイ	—	지킬 (위)
	wèi	ei	—	jikil (wi)
	16 画	衛生（えいせい）위생 卫生[wèishēng] hygiene, sanitation 自衛（じえい）자위 自卫[zìwèi] self-defense		

績 绩	achievement, accomplishment	セキ	—	길쌈 (적)
	jī	seki	—	gilsam (jeok)
	17画	成績 (せいせき) 성적 成绩[chéngjì] achievement, result 実績 (じっせき) 실적 result, record 紡績 (ぼうせき) 방적 spinning		

講 讲	lecture, speech	コウ	—	익힐 (강)
	jiǎng	kou	—	ikihil (gang)
	17画	講義 (こうぎ) 강의 lecture 講習 (こうしゅう) 강습 讲习[jiǎngxí] lesson 講演 (こうえん) 강연 讲演[jiǎngyǎn] lecture		

謝 谢	thanks, gratitude	シャ	(あやま)る	사례할 (사)
	xiè	sha	ayamaru	salyehal (sa)
	17画	感謝 (かんしゃ) 감사 感谢[gǎnxiè] thanks, gratitude 謝罪 (しゃざい) 사죄 谢罪[xièzuì] apology 謝絶 (しゃぜつ) 사절 谢绝 [xièjué] declination 謝る (あやまる) 사과하다 to apologize		

職	occupation job	ショク	—	직분 (직)
職 职	zhí	shoku	—	jikbun (jik)
	18 画	職業 (しょくぎょう) 직업 职业[zhíyè] occupation, profession 職場 (しょくば) 직장 职场[zhíchǎng] workplace 職責 (しょくせき) 직책 职责[zhízé] job position		

額	amount, sum	ガク	ひたい	이마 (액)
額 额	é	gaku	hitai	ima (aek)
	18 画	金額 (きんがく) 금액 金额[jīn'é] amount, sum 総額 (そうがく) 총액 总额 [zǒng'é] total amount 額(ひたい) 이마 forehead		

織	weave, knit	シキ	お(る)	짤 (직)
織 织	zhī	shiki	oru	jjal (jik)
	18 画	組織 (そしき) 조직 组织[zǔzhī] organization 織る (おる) 짜다 to weave		

識	awareness, knowledge	シキ	—	알 (식)
识	shí	shiki	—	al (sik)

	19 画	識別 (しきべつ) 식별 识别[shíbié] discern 認識 (にんしき) 인식 认识[rèn·shi] recognition, awareness 常識 (じょうしき) 상식 常识[chángshí] common sense 意識(いしき) 의식 意识[yì·shí] consciousness

護	protection help	ゴ	—	도울 (호)
护	hù	go	—	doeul (ho)

	20 画	保護 (ほご) 보호 保护[bǎohù] protection, defense 救護(きゅうご) 구호 救护[jiùhù] relief, aid 護衛 (ごえい) 호위 guard, escort

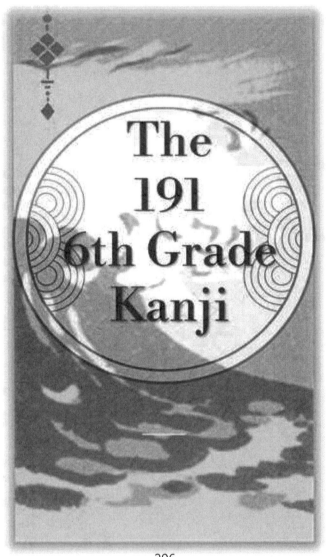

亡	deceased, dead	ボウ	な(い)	망할 (망)
	wáng	bou	nai	manghal (mang)

3画

死亡 (しぼう) 사망 [sǐwáng] death, mortality
逃亡 (とうぼう) 도망 [táowáng] flee
亡くなる（なくなる）사망하다 to passs away, decease

寸	measure, inch	スン	—	마디 (촌)
	cùn	sun	—	madi (chon)

3画

寸法 (すんぽう) 치수 [cùnfǎ] measurement, size
寸前 (すんぜん) 직전, 바로 앞 just before

己	self	コ	おのれ	몸 (기)
	jǐ	ko	onore	mom (gi)

3画

自己 (じこ) 자기 [zìjǐ] oneself
己 （おのれ）나 자신 oneself, myself

干	dry, interfere	カン	ほ(す)/ひ(る)	방패 (간)
	gān	kan	ho(su)/hi(ru)	bangpae (gan)

3画	干渉 (かんしょう) 간섭 干渉[gānshè] interference 若干 (じゃっかん) 약간 [ruògān] a little 干す (ほす) 말리다 to dry 干る(ひる) 마르다 to get dry

片	slice, piece	ヘン	かた	조각 (편)
	piàn	hen	kata	jogak (pyeon)

4画	破片 (はへん) 파편 [pòpiàn] fragment 片(かた) 둘 중의 한쪽 piece

仁	benevolence humanity	ジン	—	어질 (인)
	rén	jin	—	eojil (in)

4画	仁 (じん) 인 humanity 仁愛 (じんあい) 인애 [rén'ài] benevolence, charity 仁慈 (じんじ) 인자 [réncí] benignancy

収	get, obtain, receive	シュウ	おさ(まる)/おさ(める)	거둘 (수)
收	shōu	shuu	osamaru/osameru	geodul (su)
收	4 画	収入 (しゅうにゅう) 수입 收入[shōurù] income, earnings 収穫 (しゅうかく) 수확 收获[shōuhuò] harvest 吸収 (きゅうしゅう) 흡수 吸收[xīshōu] absorption 収(ま)る (おさまる) 수습되다 to be settled 収める (おさめる) 넣다, 담다 to put away, include		
尺	measure	シャク	—	자 (척)
	chǐ	shaku	—	ja (cheok)
	4 画	尺度 (しゃくど) 척도 [chǐdù] measurement, scale		
幼	infancy, childhood	ヨウ	おさな(い)	어릴 (유)
	yòu	you	osanai	eoril (yoo)
	5 画	幼児 (ようじ) 유아 infant, toddler 幼稚 (ようち) 유치 [yòuzhì] childish, immature 幼い(おさない) 어리다 young		

庁 厅 廳	government office, agency	チョウ	—	관청 (청)
	tīng	chou	—	gwancheong (cheong)
	5画	市庁 (しちょう) 시청 cityhall 官庁（かんちょう）관청 government office		

処 処 處	place, spot	ショ	—	곳 (처)
	chǔ	sho	—	got (cheo)
	5画	処理(しょり) 처리 処理[chǔlǐ] handling, treatment 対処 (たいしょ) 대처 to handle 処世(しょせい) 처세 処世[chǔshì] dealing with the world		

冊 册	counter for books, volume	サツ	—	책 (책)
	cè	satsu	—	chaek (chaek)
	5画	冊子 (さっし) 책자 booklet, pamphlet		

穴	hole	ケツ	あな	구멍 (혈)
	xué	getsu	ana	gumeong (hyeol)
	5画	穴 (あな) 구멍 hole, cavity		

宅	house, home	タク	一	집 (택)
	zhái	taku	一	jib (taek)
	6画	家宅 (かたく) 가택 [jiāzhái] residence 住宅 (じゅうたく) 주택 [zhùzhái] house		

存	existence, to exist	ソン/ゾン	一	있을 (존)
	cún	son/zon	一	iseul (jon)
	6画	存在 (そんざい) 존재 [cúnzài] existence, presence 生存 (せいぞん) 생존 [shēngcún] survival		

舌	tongue	一	した	혀 (설)
	shé	一	shita	hyeo (seol)
	6画	舌 (した) 혀 tongue		

301

至	to, towards	シ	いた(る)	이를 (지)
	zhì	shi	itaru	ileul (ji)
6画		至急 (しきゅう) 지급, 매우 급함 urgent 至る(いたる) 이르다 to reach		

后	queen, empress	コウ	—	임금/ 왕후 (후)
	hòu	kou	—	imgeum/ wanghu (hu)
6画		皇后 (こうごう) 황후 [huánghòu] empress		

吸	inhale, suck	キュウ	す(う)	마실 (흡)
	xī	kyuu	su(u)	masil (heub)
6画		吸引 (きゅういん) 흡인 [xīyǐn] suction, attraction 吸う (すう) 흡입하다 inhale, suck		

机	machine, mechanism	—	つくえ	책상 (궤)
	jī	—	tsukue	chaeksang (gwae)
6画		机 (つくえ) 책상 desk, table		

302

危	danger, peril	キ	あぶ(ない)/あや(うい)/ あや(ぶむ)	위태할 (위)
	wēi	ki	abunai/ayaui/ayabumu	witaehal (wi)
	6 画	危険 (きけん) 위험 危险[wēixiǎn] danger, peril 危機 (きき) 위기 危机 [wēijī] crisis 危うい(あやうい) 위태롭다 risky 危ない(あぶない) 위험하다 danger 危ぶむ(あやぶむ) 위험스럽게 여기다 to be apprehensive			
灰	ash	カイ	はい	재 (회)
	huī	—	hai	jae (hoe)
	6 画	灰色 (はいいろ) 회색 grey, ash-colored 灰 (はい) 재 ash			
宇	universe, cosmos	ウ	一	집 (우)
	yǔ	u	一	jib (u)
	6 画	宇宙 (うちゅう) 우주 [yǔzhòu] universe, cosmos			

卵	egg	ラン	たまご	알 (란)
	luǎn	ran	tamago	al (ran)
7画	鶏卵 (けいらん) 계란 egg 卵 (たまご) 알 egg			

乱	disorder, confusion	ラン	みだ(れる)/みだ(す)	어지러울 (란)
	luàn	ran	midareru/midasu	eojireoul (ran)
亂	7画	混乱 (こんらん) 혼란 [hùnluàn] confusion, disorder 乱用 (らんよう) 남용 [luànyòng] abuse 乱れる(みだれる) 어지러워지다 to be disturbed 乱す(みだす) 어지럽히다 to disturb		

忘	forget, neglect	ボウ	わす(れる)	잊을 (망)
	wàng	bou	wasureru	ijeul (mang)
7画	忘却 (ぼうきゃく) 망각 [wàngquè] oblivion 健忘症 (けんぼうしょう) 건망증 forgetfulness 忘れる (わすれる) 잊다 to forget			

批	criticize, commentary	ヒ	—	비평할 (비)
	pī	hi	—	bipyeonghal (bi)
7 画		批准 (ひじゅん) 비준 [pīzhǔn] ratification 批判 (ひはん) 비판 [pīpàn] criticism, critique 批評 (ひひょう) 비평 批评[pīpíng] criticism		

否	negate, deny	ヒ	いな	아닐 (부)
	fǒu	hi	ina	anil (bu)
7 画		否定 (ひてい) 부정 [fǒudìng] denial, negation 否決 (ひけつ) 부결 [fǒujué] rejection 拒否 (きょひ) 거부 refusal		

私	private, personal	シ	わたし/わたくし	사사 (사)
	sī	shi	watashi/watakushi	sasa (sa)
7 画		私立 (しりつ) 사립 [sīlì] private 私物 (しぶつ) 사물 object 私 (わたし, わたくし) 나 i, me		

305

困	trouble, distress	コン	こま(る)	곤할 (곤)
	kùn	kon	komaru	gonhal (gon)
7画		困難 (こんなん) 곤란 困难[kùn·nan] difficulty, hardship 貧困 (ひんこん) 빈곤 贫困 [pínkùn] poverty 困る(こまる) 곤란하다 to be in trouble		

孝	filial piety	コウ	—	효도 (효)
	xiào	kou	—	hyodo (hyo)
7画		孝行 (こうこう) 효행 [xiàoxíng] filial piety 孝道 (こうどう) 효도 [xiàodào] filial duty 不孝(ふこう) 불효 [búxiào] unfilial		

系	family, lineage	ケイ	—	이을 (계)
	xì	kei	—	ieul (gye)
7画		体系 (たいけい) 체계 [tǐxì] system, lineage 系列 (けいれつ) 계열 [xìliè] affiliation 系統 (けいとう) 계통 系统[xìtǒng] system, lineage		

我	ego, self	ガ	われ/わ	나 (아)
	wǒ	ga	ware	na (a)

7 画

我慢 (がまん) 참음, 견딤 patience, endurance
怪我 (けが) 상처 wound
我 (われ) 우리 we

枚	counter for flat objects	マイ	—	낱 (매)
	méi	mai	—	nat (mae)

8 画

枚数 (まいすう) 매수 number of sheets

宝	treasure, precious	ホウ	たから	보배 (보)
	bǎo	hou	takara	bobae (bo)

寶　8 画

宝石 (ほうせき) 보석 [bǎoshí] jewel, gem
宝 (たから) 보물 treasure

並	parallel, together	ヘイ	なら(ぶ)/なら(べる)/なみ/なら(びに)	나란히 (병)
并	bìng	hei	narabu/naraberu/nami/narabini	naranhi (byeong)
竝	8画	並列 (へいれつ) 병렬 [bìngliè] parallel 並ぶ(ならぶ) 줄을 서다 to line up, to stand side by side 並べる(ならべる) 늘어놓다 to arrange 並(み)(なみ) 예사로움, 평균 average 並びに(ならびに) 및, 또 and, as well as		

拝	worship, adore	ハイ	おが(む)	절 (배)
拜	bài	hai	ogamu	jeol (bae)
拜	8画	拝見 （はいけん） 배견, 삼가 봄 respectfully see, behold 拝む （おがむ） 절하다 to worship, to pray		

乳	milk	ニュウ	ちち/ち	젖 (유)
	rǔ	nyu	chichi/chi	jeot (yu)
	8画	乳製品 (にゅうせいひん) 유제품 dairy products 牛乳(ぎゅうにゅう) 우유 [niúrǔ] milk 乳 （ちち） 젖 milk, breast		

308

届	delivery, reaching	—	と ど(く)/と ど(ける)	이를 (계)
	jiè	—	todoku/todokeru	ileul (gye)

届	8 画	届先 (とどけさき) 보낼 곳 recipient's address 届く(とどく) 도착하다 to reach, to be delivered 届ける(とどける) 닿게 하다, 배달하다 to deliver, report

忠	loyalty, fidelity	チュウ	—	충성 (충)
	zhōng	chuu	—	chungseong (chung)

忠	8 画	忠実 (ちゅうじつ) 충실 忠实[zhōngshí] loyalty, fidelity 忠誠 (ちゅうせい) 충성 忠诚[zhōngchéng] loyalty 忠告 (ちゅうこく) 충고 [zhōnggào] advice

宙	universe, cosmos	チュウ	—	집 (주)
	zhòu	chuu	—	jib (ju)

宙	8 画	宇宙 (うちゅう) 우주 [yǔzhòu] universe, cosmos

担	take charge of, carry	タン	かつ(ぐ)/ にな(う)	멜 (담)
	dān	tan	katsugu/ninau	mel (dam)

擔	8画

担当 (たんとう) 담당 [dāndāng] in charge, responsible for
負担 (ふたん) 부담 负担 [fùdān] burden
担ぐ(かつぐ) 메다, 짊어지다 to bear
担う(になう) 짊어지다 to bear, undertake

垂	hanging, droop	スイ	た(れる)/た(らす)	드리울 (수)
	chuí	sui	tareru/tarasu	deuriul (su)

8画

垂直 (すいちょく) 수직 [chuízhí] verticality
垂れる(たれる) 드리우다 to hang down, to droop
垂らす(たらす) 늘어뜨리다 to dangle

承	accept, comply	ショウ	うけたまわ(る)	이을 (승)
	chéng	shou	uketamawaru	ieul (seung)

8画

承諾 (しょうだく) 승낙 承诺 [chéngnuò] consent
承知 (しょうち) 앎, 동의 acknowledgment, consent
承認 (しょうにん) 승인 approval

310

宗	religion, sect	シュウ/ スウ	—	마루 (종)
	zōng	shuu/suu	—	maru (jong)

8 画	宗教 (しゅうきょう) 종교 [zōngjiào] religion 宗家 (そうけ) 종가 the head family

若	young, if	じゃく/ にゃく	わか(い)	같을 (약)
	ruò	zyaku/ nyaku	wakai	gateul (yak)

8 画	老若(ろうじゃく, ろうにゃく) 노약 the old and the weak 若い (わかい) 젊다 young

刻	moment, minute	コク	きざ(む)	새길 (각)
	kè	koku	kizamu	saegil (gak)

8 画	彫刻 (ちょうこく) 조각 雕刻[diāokè] sculpt 刻む (きざむ) 새기다 to carve, to engrave

311

呼	call, call out	コ	よ(ぶ)	부를 (호)
	hū	ko	yobu	bureul (ho)
8画		呼吸 (こきゅう) 호흡 [hūxī] breath 呼称 (こしょう) 호칭 appellation 呼ぶ(よぶ) 부르다 to call, to summon		

券	ticket, coupon	ケン	—	문서 (권)
	quàn	ken	—	munseo (gwon)
8画		旅券 (りょけん) 여권 passport 債券 (さいけん) 채권 债券[zhàiquàn] bond		

供	offer, provide	キョウ	とも/さな(える)	이바지할 (공)
	gòng	kyou	tomo/sanaeru	ibajihal (gong)
8画		提供 (ていきょう) 제공 [tígōng] offering, provision 供給 (きょうきゅう) 공급 [gōngjǐ] supply, provision 供える(そなえる) 바치다 to dedicate 供(とも) 종자, 윗사람 따라감 follower		

312

拡 扩 擴	expansion, extension	カク	—	넓힐 (확)
	kuò	kaku	—	nulphil (hwak)
	8画	拡大 (かくだい) 확대 扩大[kuòdà] enlargement 拡張 (かくちょう) 확장 扩张[kuòzhāng] expansion 拡散 (かくさん) 확산 扩散[kuòsàn] spread		

沿	alongside, parallel	エン	そ(う)	따를 (연)
	yán	en	sou	ttarul (yeon)
	8画	沿岸 (えんがん) 연안 [yán'àn] coast 沿う(そう) 따라가다 to run alongside, to follow along		

延	prolong, extend	エン	の(ばす)/の(びる)/ の(べる)	끌 (연)
	yán	en	nobasu/nobiru/naberu	kkeul (yeon)
	8画	延長 (えんちょう) 연장 延长[yáncháng] extension, prolongation 延期 (えんき) 연기 [yánqī] postponement, delay 延ばす(のばす) 연장시키다 to extend 延びる(のびる) 길어지다 to be extended 延べる(のべる) 펴다, 늘이다 to spread		

313

律	rhythm, law	リツ	—	법 (률)
lǜ		ritsu	—	beop (ryul)
9画		法律 (ほうりつ) 법률 [fǎlǜ] law 規律 (きりつ) 규율 [guīlǜ] regulation 不文律 (ふぶんりつ) 불문율 unwritten law		

肺	lung	ハイ	—	허파 (폐)
fèi		hai	—	heopa (pye)
9画		肺 (はい) 폐 lung		

背	back, spine	ハイ	せ/せい/そむ(く)/ そむ(ける)	등 (배)
bèi		hai	se/sei	deung (bae)
9画		背後 (はいご) 배후 behind, background 背景 (はいけい) 배경 [bèijǐng] background 背 (せ) 등 back, spine 背 (せい) 키 height 背く(そむく) 등지다 to turn away 背ける(そむける) 등돌리다, 외면하다 to turn away, avert		

314

派	faction, clique	ハ	—	갈래 (파)
	pài	ha	—	gallae (pa)

	9 画	派閥 (はばつ) 파벌 faction, clique 派手 (はで) 화려한 flashy, showy

段	step, stage	ダン	—	층계 (단)
	duàn	dan	—	cheunggye (dan)

	9 画	段階 (だんかい) 단계 level, stage 階段 (かいだん) 계단 stair 分段 (ぶんだん) 분단 [fēnduàn] division

退	withdraw, retreat	タイ	しりぞ(く)/ しりぞ(ける)	물러날 (퇴)
	tuì	tai	shirizoku/shirizokeru	mulleonal (toe)

	9 画	退屈 (たいくつ) 지루함 boredom, tedium 退職 (たいしょく) 퇴직 退职[tuìzhí] retirement 退く(しりぞく) 물러나다, 후퇴하다 　to withdraw, step back 退ける(しりぞける) 물리치다, 격퇴하다 　to repel, drive back

315

奏	play, perform	ソウ	かな(でる)	아뢸 (주)
	zòu	sou	kanaderu	arom (ju)

9画	演奏 (えんそう) 연주 [yǎnzòu] musical performance 伴奏 (ばんそう) 반주 [bànzòu] accompaniment 奏でる (かなでる) 연주하다 to play

染	dye, stain	セン	そ(まる)/そ(める)/ (し)みる/(し)み	물들일 (염)
	rǎn	sen	soumaru/someru/simiru/ simi	muldeuril (yeom)

9画	感染 (かんせん) 감염 [gǎnrǎn] infection 染める(そめる) 염색하다 to dye, to stain 染まる(そまる) 물들다 to be dyed 染みる(しみる) 스며들다 to permeate 染み(しみ) 얼룩 stain

洗	wash, rinse	セン	あら(う)	씻을 (세)
	xǐ	sen	arau	ssiseul (se)

9画	洗濯 (せんたく) 세탁 laundry 洗う(あらう) 씻다 to wash

316

泉	spring, fountain	セン	いずみ		샘 (천)
	quán	sen	izumi		saem (cheon)
9画		温泉 (おんせん) 온천 [wēnquán] hot spring 泉(いずみ) 샘 spring water			

專 专 專	specialty, exclusive	セン	(もっぱ)ら		오로지 (전)
	zhuān	sen	motpara		oroji (jeon)
9画		専門 (せんもん) 전문 专门[zhuānmén] specialty, expertise 専攻 (せんこう) 전공 专攻[zhuāngōng] major 専ら(もっぱら) 오로지 solely			

宣	proclaim, declare	セン	—		베풀 (선)
	xuān	sen	—		bepeul (seon)
9画		宣言 (せんげん) 선언 [xuānyán] declaration, proclamation 宣伝 (せんでん) 선전 宣传[xuānchuán] advertisement			

姿	figure, appearance	シ	すがた	맵시 (자)
	zī	shi	sugata	maepsi (ja)
9画	姿勢 (しせい) 자세 [zīshì] posture, attitude 姿 (すがた) 모습 appearance, figure			

砂	sand	サ/シャ	すな	모래 (사)
	shā	sa/sya	suna	morae (sa)
9画	砂糖 (さとう) 설탕 [shātáng] sugar 砂金 (しゃきん) 사금 alluvial gold 砂 (すな) 모래 sand			

紅 红	crimson, deep red	コウ	べに	붉을 (홍)
	hóng	kou	beni	bulgeul (hong)
9画	紅茶 (こうちゃ) 홍차 红茶[hóngchá] black tea 紅(べに) 연지, 잇꽃 crimson			

皇	emperor	コウ/オウ	—	임금 (황)
	huáng	kou/ou	—	imgeum (hwang)

	9画	皇帝 (こうてい) 황제 [huángdì] emperor 皇子 (おうじ) 황자 [huángzǐ] prince

看	watch, observe	カン	—	볼 (간)
	kàn	kan	—	bol (gan)

	9画	看護 (かんご) 간호 看护[kānhù] nursing, care 看板 (かんばん) 간판 sign 看守 (かんしゅ) 간수 prison officer

巻 巻	volume, scroll	カン	まき/ま(く)	책 (권)
	juàn	kan	maki/maku	chaek (gwon)

巻	9画	圧巻 (あっかん) 압권 压卷 [yājuàn] the highlight, climax 巻(き)(まき) 감기, 서적 roll 巻く (まく) 감다 to wind, to roll

319

革	leather, reform	カク	かわ	가죽 (혁)
	gé	kaku	kawa	gajuk (hyuk)
9画		革命 (かくめい) 혁명 [gémìng] revolution 改革 (かいかく) 개혁 [gǎigé] reformation 革(かわ) 가죽 leather		

映	reflect, project	エイ	うつ(す)/うつ(る)	비출 (영)
	yìng	ei	utsusu/utsuru	bichul (yeong)
9画		映画 (えいが) 영화 movie, film 映す (うつす) 비추다 to project, to reflect 映る(うつる) 비치다 to be reflected		

胃	stomach	イ	―	밥통 (위)
	wèi	i	―	baptong (wi)
9画		胃 (い) 위 stomach		

朗	clear, bright	ロウ	ほが(らか)	밝을 (랑)
	lăng	rou	hogaraka	balkeul (rang)
	10 画	明朗 (めいろう) 명랑 [mínglăng] bright, clear		

陛	imperial, throne	ヘイ	—	대궐섬돌 (폐)
	bì	hei	—	daegwal seomdol (pye)
	10 画	陛下 (へいか) 폐하 [bìxià] his/her majesty		

俵	bag, sack	ヒョウ	たわら	나누어줄 (표)
	biào	hyou	tawara	nanueojul (pyo)
	10 画	米俵 (だわら) 섬, 가마 bale		

秘	secret, mystery	ヒ	ひ(める)	숨길 (비)
	mì	hi	himeru	sumgil (bi)
祕	10 画	秘密 (ひみつ) 비밀 [mìmì] secret, confidentiality 秘める(ひめる) 숨기다 to hide		

321

班	squad, group	ハン	—	나눌 (반)
	bān	han	—	nanul (ban)
	10 画	班 (はん) 반 team, group		

俳	actor	ハイ	—	배우 (배)
	pái	hai	—	baeu (bae)
	10 画	俳優 (はいゆう) 배우 actor, actress 俳徊 (はいかい) 배회 loitering		

納 纳	collect, accept	ノウ	おさ(まる)/おさ(める)	바칠 (납)
	nà	nou	osamaru/osameru	bachil (nap)
	10 画	納税 (のうぜい) 납세 纳税[nàshuì] payment of taxes 納付 (のうふ) 납부 payment 納得 (なっとく) 납득 understanding, consent 納める (おさめる) 내다 to obtain, to supply 納(ま)る (おさまる) 납입되다, 걷히다 to be contained		

322

討 讨	attack, criticize	トウ	う(つ)		칠 (토)
	tǎo	tou	utsu		chil (to)

		討論 (とうろん) 토론 讨论[tǎolùn] debate, discussion
	10 画	検討 (けんとう) 探讨[tàntǎo] 검토 review 討つ(うつ) 베다, 치다 to attack

党	party, faction	トウ	—		무리 (당)
	dǎng	tou	—		muri (dang)

黨	10 画	政党 (せいとう) 정당 [zhèngdǎng] political party

展	exhibition, display	テン	—		펼 (전)
	zhǎn	ten	—		pyul (jeon)

		展開 (てんかい) 전개 展开[zhǎnkāi] development, expansion
	10 画	展示 (てんじ) 전시 [zhǎnshì] exhibition, show 展望 (てんぼう) 전망 [zhǎnwàng] prospect

323

値 値	value, price	チ	ね/あたい	값 (치)
	zhí	chi	ne/atai	gap (chi)
	10画	価値 (かち) 가치 价值[jiàzhí] value, worth 値 (ね, あたい) 값, 값어치 price		

針 针	needle, pin	シン	はり	바늘 (침)
	zhēn	shin	hari	baneul (chim)
	10画	方針 (ほうしん) 방침 方针[fāngzhēn] policy 針 (はり) 바늘 needle, pin		

将 將	general, commander	ショウ	—	장수 (장)
	jiāng	shou	—	jangsu (jang)
	10画	将来 (しょうらい) 장래 [jiānglái] future, prospects 大将 (たいしょう) 대장 general, boss		

除	exclude, remove	ジョ	のぞ(く)	덜 (제)
	chú	jo	nozoku	deol (je)
10 画		除外 (じょがい) 제외 [chúwài] exclusion, exception 削除 (さくじょ) 삭제 delete 掃除 (そうじ) 소제 扫除[sǎochú] cleaning 除く(のぞく) 제거하다, 없애다 to eliminate		

純 纯	pure, genuine	ジュン	—	순수할 (순)
	chún	jun	—	sunsuhal (sun)
10 画		純粋 (じゅんすい) 순수 纯粹[chúncuì] pure, genuine		

従 从	from, through	ジュウ	したが(う)/ したが(える)	좇을 (종)
	cóng	juu	shitagau/shitagaeru	jjoeul (jong)
従	10 画	従来 (じゅうらい) 종래 [cónglái] conventional, traditional 服従 (ふくじゅう) 복종 [fúcóng] obey 従う (したがう) 따르다 to follow 従える(したがえる) 따르게 하다 to obey		

325

射	shoot, emit	シャ	い(る)	쏠 (사)
	shè	sha	iru	ssol (sa)

	10 画	射撃 (しゃげき) 사격 射击[shèjī] shooting, gunfire 射る(いる) 활을 쏘다, 맞히다 to shoot

蚕	silkworm	サン	かいこ	누에 (잠)
	cán	san	kaiko	nue (jam)

蠶	10 画	養蚕 (ようさん) 양잠 养蚕[yǎngcán] sericulture 蚕 (かいこ) 누에 silkworm

座	seat, place	ザ	すわ(る)	자리 (좌)
	zuò	za	suwaru	jari (jwa)

	10 画	座席 (ざせき) 좌석 [zuòxí] seat 座る (すわる) 앉다 to sit

骨	bone	コツ	ほね		뼈 (골)
	gǔ	kotsu	hone		ppyeo (gol)
10 画	骸骨 (がいこつ) 해골 [háigǔ] skull 骨 (ほね) 뼈 bone				

降	descend, fall	コウ	ふ(る)/お(りる)/ お(ろす)		내릴 (강), 항복할 (항)
	jiàng	kou	furu/oriru/orosu		naelil (gang), hangbokhal (hang)
10 画	下降 (かこう) 하강 [xiàjiàng] descent 降伏 (ごうぶく) 항복 surrender 降る (ふる) (비 등이) 내리다, 떨어지다 to fall 降りる(おりる) (탈것에서) 내리다 to get off 降ろす(おろす) 내리다, 내려뜨리다 to drop off, unload				

胸	chest, breast	キョウ	むね		가슴 (흉)
	xiōng	kyou	mune		gaseum (heung)
10 画	度胸 (どきょう) 담력 courage 胸 (むね) 가슴 chest, breast				

327

株	stock, share	—	かぶ	그루 (주)
	zhū	—	kabu	geuru (ju)

10 画	株 (かぶ) 그루터기, 그루 stump 株式 (かぶしき) 주식 stock, share

恩	grace, favor	オン	—	은혜 (은)
	ēn	on	—	eunhye (eun)

10 画	恩恵 (おんけい) 은혜 [ēn·huì] favor, grace 恩人 (おんじん) 은인 [ēnrén] savior 恩師 (おんし) 은사 恩师[ēnshī] mentor, benefactor

翌	following, next	ヨク	—	다음날 (익)
	yì	yoku	—	daeumnal (ik)

11 画	翌日 (よくじつ) 익일 [yìrì] following day, next day

欲	desire, wish	ヨク	ほ(しい)/ほっ(する)	하고자 할 (욕)
	yù	yoku	hoshii/hotsuru	hagojahal (yok)

11 画	欲望 (よくぼう) 욕망 [yùwàng] desire, greed
	欲しい （ほしい） ~하고싶다, 바라다 to wish
	欲する (ほっする) 바라다, 원하다 to want

郵 邮	mail, post	ユウ	—	우편 (우)
	yóu	yuu	—	woopyeon (woo)

11 画	郵便 (ゆうびん) 우편 mail, postal service

訳 译	translate, translation	ヤク	わけ	번역할 (역)
	yì	yaku	wake	beonyeokhal (yeok)

譯	11 画	翻訳 (ほんやく) 번역 翻译[fānyì] translation
		通訳 (つうやく) 통역 interpretation
		訳(わけ) 의미, 뜻 meaning

329

密	secret, confidentiality	ミツ	—	빽빽할 (밀)
	mì	mitsu	—	bbaekbbaek hal (mil)
11 画		密室 (みっしつ) 밀실 [mìshì] secret room, privacy 密着 (みっちゃく) 밀착 adhere to		

訪 访	visit, call	ホウ	たず(ねる)/ おとず(れる)	찾을 (방)
	fǎng	hou	tazuneru/otozureru	chatseul (bang)
11 画		訪問 (ほうもん) 방문 访问[fǎngwèn] visitation 訪れる (おとずれる) 방문하다, 찾아오다 to visit 訪ねる (たずねる) 찾다, 방문하다 to visit		

閉 闭	close, shut	ヘイ	と(じる)/し(まる)/ し(める)/と(ざす)	닫을 (폐)
	bì	hei	tojiru/shimaru/shimeru/ tozasu	datseul (pye)
11 画		閉鎖 (へいさ) 폐쇄 闭锁[bìsuǒ] shutdown 閉じる (とじる)닫히다, 끝나다 to close, to shut 閉ざす(とざす) 닫다, 잠그다 to shut, block 閉(ま)る(しまる) 닫히다 to be closed 閉める （しめる） (문)닫다 to close		

脳 脳	brain	ノウ	—	골/뇌수 (뇌)
脳	nǎo	nou	—	gol/noesu (noe)
腦	11 画	脳 (のう) 뇌 brain		

頂 頂	summit, top	チョウ	いただき/いただ(く)	정수리 (정)
顶	dǐng	chou	itadaki/itadaku	jeongsuri (jeong)
	11 画	頂上 (ちょうじょう) 정상 summit		
		頂 (いただき) 정상 peak		
		頂く(いただく) 이다, 받들다 to receive		

著	wear, notable	チョ	あらわ(す)/ いちじる(しい)	나타날 (저)/ 입을 (착)
	zhù	cho	arawazu/ichizirushii	natandal (jeo)/ ibeul (chak)
	11 画	著書 (ちょしょ) 저서 著书[zhùshū] published work, authorship		
		著(わ)す(あらわす) 저술하다 to write a book		
		著しい(いちじるしい) 현저하다 noticeable		

331

探	search, seek	タン	さが(す)/さぐ(る)	찾을 (탐)
	tàn	tan	sagasu/saguru	chatseul (tam)

探検 (たんけん) 탐험 expedition
11画　探す(さがす) 찾다 to search
探る(さぐる) 뒤지다, 탐색하다 to look for

窓	window	ソウ	まど	창 (창)
窗	chuāng	sou	mado	chang (chang)

車窓 (しゃそう) 차창 car window
11画　同窓 (どうそう) 동창 alumnus
窓 (まど) 창문 window

盛	prosper, thrive	セイ/ ジョウ	も(る)/さか(る)/ さか(ん)	성할 (성)
	shèng	sei/syou	moru	seonghal (seong)

繁盛 (はんじょう) 번성 [ánshèng] prosper
全盛 (ぜんせい) 전성 [quánshèng] palmy
盛る(もる) 그릇에 많이 담다, 높이 쌓아
11画　올리다 to pile up
盛る(さかる) 세차게 되다, 번창하다 to head up, dish up
盛ん (さかん) 성함, 번성함 active, prosperous

332

推	push	スイ	お(す)	밀 (추)
	tuī	sui	osu	mil (chu)
11 画	推測 (すいそく) 추측 推测[tuīcè] guess, conjecture 推進 (すいしん) 추진 推进[tuījìn] propel 推す(おす) 밀다, 추천하다 to recommend			

捨	discard, abandon	シャ	す(てる)	버릴 (사)
舍	shě	sha	suteru	beoril (sa)
11 画	取捨 (しゅしゃ) 취사 取舍[qǔshě] selection 捨てる (すてる) 버리다 to throw away			

視	view, see	シ	—	볼 (시)
视	shì	shi	—	bol (shi)
11 画	視点 (してん) 시점 视点 [shìdiǎn] viewpoint, perspective 視力 (しりょく) 시력 视力[shìlì] eyesight, vision			

済济	complete, finish	サイ	す(む)/す(ます)	건널 (제)
	jì	sai	sumu/sumasu	geonneol (je)
濟	11画	救済 (きゅうさい) 구제 救济[jiùjì] aid, succor 決済 (けっさい) 결제 payment 経済 (けいざい) 경제 经济[jīngjì] economy 済ます(すます) 끝내다, 마치다 to comeplete 済む(すむ) 처리되다 to be finished, to end		

郷 乡	hometown village	キョウ/ ゴウ	—	시골 (향)
	xiāng	kyou	—	sigol (hyang)
鄉	11画	故郷 (こきょう) 고향 故乡[gùxiāng] hometown 在郷 (ざいごう) 재향 countryside		

域	area, region	イキ	—	지경 (역)
	yù	iki	—	jigyeong (yuk)
	11画	地域 (ちいき) 지역 [dìyù] region 領域 (りょういき) 영역 [lǐngyù] area, territory		

異 异	different, unusual	イ	こと	다를 (이)
	yì	i	koto	dareul (i)

異議 (いぎ) 이의 异议[yìyì] objection
11 画 異常 (いじょう) 이상 异常[yìcháng] abnormality
異なる (ことなる) 다르다 different, unusual

棒	stick, pole	ボウ	—	막대 (봉)
	bàng	bou	—	makdae (bong)

棒 (ぼう) 막대 stick, pole
12 画 泥棒 (どろぼう) 도둑 thief

補 补	supplement, compensation	ホ	おぎな(う)	도울 (보)
	bǔ	ho	oginau	doull (bo)

補助 (ほじょ) 보조 补助[bǔzhù] assistance
候補 (こうほ) 후보 候补[hòubǔ] candidate
12 画 補充 (ほじゅう) 보충 补充 [bǔchōng] supplement
補う(おぎなう) 보충하다 to compensate, to
supplement

晚	night, evening	バン	—	늦을 (만)
晚	wǎn	ban	—	neujeul (man)

12 画	晚(ばん) 밤, 저녁때 evening, night

痛	pain, ache	ツウ	いた(い)/いた(める)/いた(む)	아플 (통)
	tòng	tsuu	itai/itameru/itamu	apeul (tong)

12 画	苦痛 (くつう) 고통 [kǔtòng] pain 痛快 (つうかい) 통쾌 [tòngkuài] extreme delight 痛い(いたい) 아프다 painful, sore 痛める(いためる) 아프게하다 to hurt 痛む(いたむ) 아프다 to be in pain

尊	respect, honor	ソン	とうと(い)/とうと(ぶ)/たっと(い)/たっと(ぶ)	높을 (존)
	zūn	son	toutoi/toutobu/tattoui/tattobu	nopseul (jon)

12 画	尊敬 (そんけい) 존경 [zūnjìng] respect, esteem 尊い(とうとい, たっとい) 고귀하다 noble 尊ぶ(とうとぶ, たっとぶ) 공경하다 to respect

装 attire, dress	ソウ/ショウ	よそお(う)	꾸밀 (장)
zhuāng	sou/syou	yosoou	ggumil (jang)
装 12 画	装備 (そうび) 장비 装备[zhuāngbèi] equipment, outfit 装置 (そうち) 장치 [zhuāngzhì] device, equipment 衣装 (いしょう) 의상 clothes 装う(よそおう) 치장하다 to decorate		

創 create, establish	ソウ	つく(る)	비롯할 (창)
chuàng	sou	tsukuru	birothal (chang)
创 12 画	創造 (そうぞう) 창조 创造[chuàngzào] creation 創立 (そうりつ) 창립 创立[chuànglì] establishment, founding 造る(つくる) 만들다, 짓다 to make		

善 goodness, virtue	ゼン	よ(い)	착할 (선)
shàn	zen	yoi	chakhal (seon)
善 12 画	善悪 (ぜんあく) 선악 善恶[shàn'è] goodness, virtue 善い(よい) 좋다 good		

衆	masses, multitude	シュウ	—	무리 (중)
众	zhòng	shuu	—	muri (joong)

	12 画	大衆 (たいしゅう) 대중 大众 [dàzhòng] crowds 公衆 (こうしゅう) 공중 公众 [gōngzhòng] public

就	employment, work	シュウ/ ジュ	つ(く)/つ(ける)	이룰 (취)
	jiù	shuu/zyu	tsuku/tsukeru	iru (chwi)

	12 画	就職 (しゅうしょく) 취직 就职[jiùzhí] employment, getting a job 就任 (しゅうにん) 취임 [jiùrèn] inauguration 成就 (じょうじゅ) 성취 [chéngjiù] achievement 就く(つく) 취임하다, 오르다 to be inaugurated 就ける(つける) 취임시키다 to assign

詞	word, term	シ	—	말 (사)
词	cí	shi	—	mal (hal)

	12 画	動詞 (どうし) 동사 动词[dòngcí] verb 名詞 (めいし) 명사 名词[míngcí] noun

338

策	plan, scheme	サク	—	꾀 (책)
	cè	saku	—	kkoe (chaek)
12 画		策略 (さくりゃく) 책략 [cèlüè] strategy, tactic 方策 (ほうさく) 방책 plan, policy		

裁	cut, judge	サイ	さば(く)/た(つ)	마를 (재)
	cái	sai	sabaku/tatsu	mareul (jae)
12 画		裁判 (さいばん) 재판 [cáipàn] trial, judgment 裁く(さばく) 판단하다 to judge, to arbitrate 裁つ(たつ) 재단하다 to cut, tailor		

敬	respect, honor	ケイ	うやま(う)	공경 (경)
	jìng	kei	uyamau	gonggyeong (gyeong)
12 画		尊敬 (そんけい) 존경 [zūnjìng] respect, reverence 敬意 (けいい) 경의 [jìngyì] respect, esteem 敬う(うやまう) 존경하다 to respect		

339

筋	muscle, tendon	キン	すじ	힘줄 (근)
	jīn	kin	suji	himjul (geun)
12 画	筋肉 (きんにく) 근육 muscle 筋(すじ) 줄기 stripe, muscle, tendon			

勤	diligence, industry	キン	つと(まる)/つと(める)	부지런할 (근)
	qín	kin	tsutomaru/tsutomeru	bujirunhal (geun)
12 画	勤勉 (きんべん) 근면 [qínmiǎn] diligence, industry 勤まる(つとまる) 감당해 내다, 잘 수행할 수 있다 to be suitable for 勤める(つとめる) 근무하다 to work for			

貴 贵	noble, valuable	キ	とうと(い)/とうと(ぶ)/ たっと(い)/たっと(ぶ)	귀할 (귀)
	guì	ki	toutoi/toutobu/tattoi/ tattobu	guihal (gui)
12 画	貴重 (きちょう) 귀중 貴重[guìzhòng] precious, valuable 貴い (とうとい, たっとい) 고귀하다 noble 貴ぶ (とうとぶ, たっとぶ) 공경하다 to respect			

揮	wield, swing	キ	—	휘두를 (휘)
挥	huī	ki	—	huidurul (hwi)

	12画	発揮 (はっき) 발휘 发挥[fāhuī] demonstrate
		揮発 (きはつ) 휘발 挥发[huīfā] volatilization
		指揮 (しき) 지휘 指挥[zhǐhuī] conduct

割	cut, divide	カツ	わり/わ(る)/わ(れる)/さ(く)	나눌 (할)
	gē	katsu	wari/waru/wareru/saku	nanul (hal)

	12画	分割 (ぶんかつ) 분할 分割[fēngē] division
		割譲 (かつじょう) 할양 cession
		割る(わる) 나누다 to divide, to cut
		割れる(われる) 깨지다 to be divided
		割(わり) 할, 1/10 portion

裏	back, reverse side	リ	うら	속 (리)
里	lǐ	ri	ura	sok (ri)

	13画	裏面 (りめん) 이면 hidden side
		表裏 (ひょうり) 표리 [biǎolǐ] inside and outside
		裏側 (うら) 뒤, 뒤쪽 back, back side

341

.

預 预	deposit, advance	ヨ	あず(ける)/あず(かる)	맡길/미리 (예)
	yù	yo	azukeru/azukaru	matgil/ miri (ye)
	13 画	預金 (よきん) 예금 savings 預備 (よび) 예비 预备 [yùbèi] reserve 預ける (あずける) 맡기다 to deposit, to entrust 預(か)る(あずかる) 맡다, 보관하다 to take care of		
盟	alliance, pact	メイ	—	맹세할 (맹)
	méng	mei	—	maengsehal (maeng)
	13 画	同盟 (どうめい) 동맹 [tóngméng] alliance, league 連盟 (れんめい) 연맹 连盟[liánméng] union		
幕	curtain, bunting	バク/マク	—	막 (막)
	mù	baku/ maku	—	mak (mak)
	13 画	開幕 (かいまく) 개막 开幕[kāimù] the curtain rises 幕府 (ばくふ) 막부 shogunate, feudal government		

腹	abdomen, belly	フク	はら		배 (복)
	fù	fuku	hara		bae (bok)
	13 画	腹部 (ふくぶ) 복부 abdomen, belly 腹 (はら) 배 abdomen, belly			

賃 赁	wage, rent	チン	—		품삯 (임)
	lìn	chin	—		pumsat (im)
	13 画	賃金 (ちんぎん) 임금 wages, salary 運賃 (うんちん) 운임 运费[yùnfèi] fare 家賃 (やちん) 집세 rent, rental fee			

腸 肠	intestines, gut	チョウ	—		창자 (장)
	cháng	chou	—		changja (jang)
	13 画	腸 (ちょう) 장 intestine, gut			

暖	warmth	ダン	あたた(かい)/ あたた(まる)/ あたた(める)/ あたた(か)	따뜻할 (난)
	nuǎn	dan	atatakai/atatamaru/ atatameru/atataka	ttatteuthal (nan)

	13画	温暖 (おんだん) 온난 [wēnnuǎn] mild 暖かい(あたたかい) 따뜻하다 warm, mild 暖まる(あたたまる) 따뜻해지다 to become warm 暖める(あたためる) 따뜻하게 하다 to warm (something) 暖か(あたたか) 따뜻함 warmth

誠 诚	sincerity, truth	セイ	まこと	정성 (성)
	chéng	sei	makoto	jeongseong (seong)

	13画	誠実 (せいじつ) 성실 诚实[chéng·shí] sincerity, honesty 誠(まこと) 진실 truth

聖 圣	holy, sacred	セイ	—	성스러울 (성)
	shèng	sei	—	seong sureoul (seong)

	13画	聖書 (せいしょ) 성서 圣书[shèngshū] bible 聖なる (せいなる) 신성하다 holy, sacred

蒸	steam, evaporate	ジョウ	む(す)/ む(らす)/ む(れる)	찔 (증)
	zhēng	jou	musu/murasu/mureru	jjil (jeung)
13 画		蒸気 (じょうき) 증기 蒸气[zhēngqì] steam, vapor 蒸す(むす) 무덥다, 찌다 to steam, be hot and humid 蒸らす(むらす) 뜸들이다 to let something steam 蒸れる(むれる) 뜸들다, 무덥다 to be steamed		

傷 伤	wound, injury	ショウ	きず/いた(む)/ いた(める)	상처 (상)
	shāng	shou	kizu/itamu/itameru	sangcheo (sang)
13 画		傷害 (しょうがい) 상해 伤害[shānghài] injury 傷 (きず) 상처 wound 痛む(いたむ) 아프다 to be in pain 痛める(いためる) 아프게 하다 to hurt (something or someone)		

署	office, signatory	ショ	—	관청 (서)
	shǔ	sho	—	gwancheong (seo)
13 画		署名 (しょめい) 서명 signature, sign 部署 (ぶしょ) 부서 department		

源	source, origin	ゲン	みなもと	근원 (원)
	yuán	gen	minamoto	geunwon (won)
	13 画	源泉 (げんせん) 원천 source, origin 水源 (みなもと) 수원 [shuǐyuán] fountainhead		

絹 绢	silk	クン	きぬ	명주 (견)
	juàn	ken	kinu	myeongju (gyeon)
	13 画	絹糸 (けんし) 견사 silk 絹 (きぬ) 비단 silk		

模	imitation, model	ボ/モ	—	법 (모)
	mó	bo/mo	—	beop (mo)
	14 画	模範 (もはん) 모범 模范[mófàn] model, example 規模 (きぼ) 규모 規模[guīmó] scale		

346

暮	evening, sunset	ボ	く(らす)/く(れる)	저물 (모)
	mù	bo	kurasu/kureru	jeomul (mo)

14 画	夕暮れ (ゆうぐれ) 황혼 evening, twilight 暮(ら)す(くらす) 하루를 보내다, 살다 to live 暮れる(くれる) 날이 저물다 to get dark

認 认	recognize, acknowledge	—	みと(める)	알 (인)
	rèn	—	mitomeru	al (in)

14 画	認識 (にんしき) 인식 认识[rèn·shi] awareness 認める (みとめる) 인정하다 to recognize, to acknowledge

層 层	layer, stratum	ソウ	—	층 (층)
	céng	sou	—	cheung (cheung)

14 画	層 (そう) 층 layer, stratum

347

銭 钱 銭	money, coin	セン	ぜに	돈 (전)
	qián	sen	zeni	don (jeon)
	14画	金銭 (きんせん) 금전 金钱[jīnqián] money, cash 小銭 (こぜに) 잔돈 change		

障	obstacle, hindrance	ショウ	さわ(る)	막을 (장)
	zhàng	shou	sawaru	mageul (jang)
	14画	障害 (しょうがい) 장애 obstacle, hindrance 障る(さわる) 방해가 되다 to disturb		

磁	magnetism magnetic	ジ	—	자석 (자)
	cí	ji	—	jaseok (ja)
	14画	磁石 (じしゃく) 자석 [císhí] magnet		

誌 志	magazine, journal	シ	—	기록할 (지)
	zhì	shi	—	girokhal (ji)
	14画	雑誌 (ざっし) 잡지 杂志[zázhì] magazine, journal		

穀	grain, cereals	コク	—	곡식 (곡)
谷	gǔ	koku	—	goksik (gok)
14 画	穀物 (こくもつ) 곡물 谷物[gǔwù] grain, cereal			

誤	mistake, error	ゴ	あやま(る)	그르칠 (오)
误	wù	go	ayamaru	geureuchil (o)
14 画	誤解 (ごかい) 오해 误解[wùjiě] misunderstanding, mistake 誤差 (ごさ) 오차 误差[wùchā] error 誤訳 (ごやく) 오역 误译 [wùyì] mistranslation 誤る(あやまる) 실패하다, 그르치다 to make a mistake			

疑	doubt, suspect	ギ	うたが(う)	의심할 (의)
	yí	gi	utagau	uisimhal (ui)
14 画	疑問 (ぎもん) 의문 疑问[yíwèn] doubt, question 疑惑 (ぎわく) 의혹 [yíhuò] suspicion 疑う(うたがう) 의심하다 to doubt			

閣	pavilion, tower	カク	—	누각 (각)
阁	gé	kaku	—	nugak (gak)

| | 14 画 | 閣僚 (かくりょう) 각료 阁僚[géliáo] cabinet members | | |

論	argument, discourse	ロン	—	말할 (론)
论	lùn	ron	—	malhal (ron)

| | 15 画 | 論文 (ろんぶん) 논문 论文[lùnwén] thesis, dissertation
論拠 (ろんきょ) 논거 basis of an argument
結論 (けつろん) 결론 结论[jiélùn] result
勿論 (もちろん) 물론 of course | | |

敵	enemy, rival	テキ	—	원수 (적)
敌	dí	teki	—	wonsu (jeok)

| | 15 画 | 敵 (てき) 적 enemy, opponent
匹敵 (ひってき) 필적 匹敌[pǐdí] equal | | |

潮	tide, current	チョウ	しお		조수 (조)
	cháo	chou	shio		josu (jo)
15 画		満潮 (まんちょう) 만조[mǎncháo] high tide 潮 (しお) 조수 tide			

誕 诞	birth, nativity	タン	—		태어날 (탄)
	dàn	tan	—		taeeonal (tan)
15 画		誕生 (たんじょう) 탄생 诞生[dànshēng] birth			

蔵 藏	store, hide	ゾウ	くら		감출 (장)
	cáng	zou	kura		gamchul (jang)
藏	15 画	貯蔵 (ちょぞう) 저장 储藏[chǔcáng] storage 冷蔵 (れいぞう) 냉장 冷藏[lěngcáng] refrigeration 埋蔵 (まいぞう) 매장 埋藏[máicáng] being buried 蔵(くら) 곳간 shed			

諸 诸	various, many	ショ	—	모두 (제)
	zhū	sho	—	modu (je)
	15 画	諸国 (しょこく) 제국 various countries 諸君 (しょくん) 제군 诸君[zhūjūn] you, gentlemen		

熟	ripen, mature	ジュク	う(れる)	익을 (숙)
	shú	juku	ureru	ikeul (suk)
	15 画	未熟 (みじゅく) 미숙, 덜 익음 unripe 成熟 (せいじゅく) 성숙 [chéngshú] maturity 熟練 (じゅくれん) 숙련 熟练 [shúliàn] proficient 熟れる(うれる) 익다 to mature, ripen		

権 权	right, authority	ケン	—	권세 (권)
	quán	ken	—	gwonse (gwon)
權	15 画	権力 (けんりょく) 권력 权力[quánlì] power 権威 (けんい) 권위 权威 [quánwēi] authority 権利 (けんり) 권리 权利[quánlì] right		

352

劇 剧	drama, play	ゲキ	—	심할 (극)
	jù	geki	—	simhal (geuk)
	15 画	劇 (げき) 극 play 劇場 (げきじょう) 극장 剧场[jùchǎng] theater		

遺 遗	leave behind, bequeath	イ/ユイ	—	끼칠 (유)
	yí	i/yui	—	kichil (yu)
	15 画	遺物 (いぶつ) 유물 relic 遺言 (ゆいごん) 유언 遗言[yíyán] will, testament 遺棄 (いき) 유기 遗弃 [yíqì] abandonment 遺憾 (いかん) 유감 遗憾[yíhàn] regrettable 遺産 (いさん) 유산 遗产 [yíchǎn] inheritance		

奮 奋	excite, stir up	フン	ふる(う)	떨칠 (분)
	fèn	fun	furu(u)	ddeolkchil (bun)
	16 画	奮闘(ふんとう) 분투 奋斗[fèndòu] struggle, effort 奮う(ふるう) 용기를 내다, 떨치다 to be stirred		

353

糖	sugar	トウ	—	사탕 (당)
	táng	tou	—	satang (dang)
	16画	砂糖 (さとう) 설탕 [shātáng] sugar 糖度 (とうど) 당도 [tángdù] sugar content		

操	manipulate, operate	ソウ	あやつ(る)/みさお	잡을 (조)
	cāo	sou	ayatsuru	jabeul (jo)
	16画	操作 (そうさ) 조작 [cāozuò] operation, control 体操 (たいそう) 체조 [tǐcāo] gymnastics 操る(あやつる) 조종하다 to manipulate 操(みさお) 절조, 절개 fidelity		

縦 纵	vertical, lengthwise	ジュウ	たて	세로 (종)
	zòng	juu	tate	sero (jong)
縦	16画	操縦 (そうじゅう) 조종 操纵[cāozòng] control 縦横 (じゅうおう) 종횡 perpendicular and horizontal 縦 (たて) 세로 vertical		

樹 树	tree	ジュ	—	나무 (수)
	shù	juu	—	namoo (su)

	16 画	樹木(じゅもく) 수목 树木[shùmù] tree 樹立(じゅりつ) 수립 树立[shùlì] establishment

鋼 钢	steel	コウ	はがね	강철 (강)
	gāng	kou	hagane	gangcheol (gang)

	16 画	鋼鉄 (こうてつ) 강철 钢铁[gāngtiě] steel 鋼 (はがね) 강철 steel

憲 宪	constitution law	ケン	—	법 (헌)
	xiàn	ken	—	beop (heon)

	16 画	憲法 (けんぽう) 헌법 宪法[xiànfǎ] constitution 違憲 (いけん) 위헌 违宪 [wéixiàn] unconstitutional

激	violent, intense	ゲキ	はげ(しい)	과격할 (격)
	jī	geki	hageshii	gwagyeokhal (gyeok)

激烈 (げきれつ) 격렬 [jīliè] violence
感激 (かんげき) 감격 [gǎn·jī] impression, gratitude
16画 激励 (げきれい) 격려 [jīlì] encouragement
激しい (はげしい) 기세가 강하다, 정도가
심하다 intense

覧 览 覽	inspection, perusal	ラン	—	볼 (람)
	lǎn	ran	—	bol (ram)

閲覧 (えつらん) 열람 阅览[yuèlǎn] viewing, browsing
17画 観覧 (かんらん) 관람 观览 [guānlǎn] view
遊覧 (ゆうらん) 유람 游览[yóulǎn] excursion

優 优	excellent, superior	ユウ	すぐ(れる)/やさ(しい)	넉넉할 (우)
	yōu	yuu	sugureru/yasashii	neokneokhal (u)

優秀 (ゆうしゅう) 우수 优秀[yōuxiù] excellent, superior
17画 優れる(すぐれる) 뛰어나다 to excel, surpass
優しい(やさしい) 온순하다 gentle, kind

356

縮 缩	shrink, contract	シュク	ちぢ(む)/ちぢ(まる)/ ちぢ(める)/ちぢ(らす)/ ちぢ(れる)	줄일 (축)
	suō	shuku	chijimu/chijimaru/ chijimeru/chijirasu/ chijireru	julil (chuk)

縮小(しゅくしょう) 축소 缩小[suōxiǎo] reduction

圧縮 (あっしゅく) 압축 压缩 [yāsuō] compress

縮む (ちぢむ) 줄어들다 to shrink, to contract

縮まる(ちぢまる) 오그라들다, 줄어들다 to become shorter, shrink

17 画

縮める(ちぢめる) 줄이다, 작게하다 to shorten

縮らす(ちぢらす) 오그라들게 하다 to make something shrink

縮れる(ちぢれる) 오그라지다, 주름이 지다 to curl, become curly

厳 严	strict, severe	ゲン	きび(しい)/おごそ(か)	엄할 (엄)
	yán	gen	kibishii/ogosoka	eomhal (eom)

嚴 17 画

厳格 (げんかく) 엄격 严格 [yángé] strictness

尊厳 (そんげん) 존엄 尊严[zūnyán] dignity

厳しい (きびしい) 엄격하다 strict, severe

厳か(おごそか) 엄숙함 solemnity

臨 临	approach, be present at	リン	のぞ(む)	임할 (림)
	lín	rin	nozomu	imhal (rim)

	18画	臨時 (りんじ) 임시 临时[línshí] temporary, provisional 臨床 (りんしょう) 임상 临床[línchuáng] clinical 臨む (のぞむ) 면하다, 향하다 to face

難 难	difficult, hard	ナン	むずか(しい)/かた(い)	어려울 (난)
	nán	nan	muzukashii/katai	eoryeoul (nan)

	18画	災難 (さいなん) 재난 灾难[zāinàn] disaster 難しい (むずかしい) 어렵다 difficult, hard

簡 简	simple, brief	カン	—	대쪽 (간)
	jiǎn	kan	—	daejok (gan)

	18画	簡便 (かんべん) 간편 简便[jiǎnbiàn] easy 簡単 (かんたん) 간단 simple 簡略 (かんりゃく) 간략 简略 [jiǎnlüè] simplicity

| 臓
脏 | organ,
viscera | ゾウ | — | 오장 (장) |
| | zàng | zou | — | ojang (jang) |

| 臓 | 19画 | 内臓 (ないぞう) 내장 内脏[nèizàng] internal organs
心臓 (しんぞう) 심장 心脏 [xīnzàng] heart | | |

| 警 | warning,
caution | ケイ | — | 경계할 (경) |
| | jǐng | kei | — | gyeonggyehal
(gyeong) |

| 警 | 19画 | 警告 (けいこく) 경고 [jǐnggào] warning, caution
警察 (けいさつ) 경찰 [jǐngchá] police
警備 (けいび) 경비 security | | |